KB096156

작 별 의 건 너 편3

the other side of good-bye Vol.3 by Haruki Shimizu

Original Japanese edition published in 2023 by MICRO MAGAZINE, INC.

작별의 건너편 3

시미즈 하루키 지음 | 김지연 옮김

일러두기

1. 본문 괄호 안의 설명은 옮긴이 주입니다.
2. 영화 제목은 〈 〉, 노래와 시 제목은 「 」로 표기했습니다.
3. 외래어는 국립국어원의 외래어 표기법을 따랐으나 일반적으로 통용되는 경우에는 관용에 따라 표기했습니다.

차례

프롤로그

"……다니구치 씨."

작별의 건너편의 안내인 다니구치는 자기 이름을 부르는 목소리에 눈을 떴다.

"여기는……."

"다니구치 씨, 잠꼬대하시는 거예요? 여기는 당연히 작별의 건너편이죠."

"아아, 그렇죠. 우리는 이곳의 안내인이고……."

다니구치는 그렇게 말하며 느긋하게 기지개를 켰다. 오늘도 변함없이 유백색 공간이 끝없이 펼쳐져 있었다.

옆에는 자신을 깨워준 또 한 명의 안내인, 도키와가 서 있었다. 도키와는 미심쩍은 눈빛으로 다니구치를 쳐다보았다.

"넋이 나간 사람처럼 왜 그러세요? 아직 졸리시면 이거 드세요."

도키와가 내민 것은 조지아 맥스 커피였다. 지바와 이바라키 지역을 대표하는 단맛이 강한 캔 커피. 더불어 다니구치가 제일 좋아하는 음료였다.

"고맙습니다, 도키와 씨."

다니구치는 캔 커피를 받아 뚜껑을 따서 천천히 입안으로 흘려보냈다. 커피를 입에 머금자 단맛이 입안 가득 퍼졌다. 졸음을 쫓고자 커피를 마셨는데, 감미로운 커피 맛에 취해 또다시 스르르 꿈속으로 빠져들 것 같았다.

"흐음, 맛있네요."

다니구치를 빤히 쳐다보던 도키와가 풉 하고 웃음을 터뜨렸다. 더없이 태평한 모습에 어이없어하는 듯했다.

"다니구치 씨는 언제 봐도 참 침착하고 느긋하시네요. 그런 게 바로 다니구치 씨만의 개성이겠지만요."

"그러게요, 유유자적한 걸 좋아하는 성격은 평생 변하질 않네요. 그런데 사실 요즘 제가 불쑥불쑥 넋이 나가는 데는 그럴 만한 이유가 있습니다."

"이유라고요?"

궁금해하는 도키와의 얼굴을 보며 다니구치가 고백하듯 말했다.

"아무래도 마음이 너무 편해서 그런 것 같아요. 도키와 씨가 옆에 있어서."

다니구치는 여태껏 이곳 작별의 건너편을 혼자 지켜왔다. 하지만 지금은 새로 안내인이 된 도키와가 옆에 있다. 다니구치는 그 사실에 안심했다. 훌륭한 안내인이 되겠다며 의욕이 넘치는 도키와를 생각하면 마음이 든든했다.

"그렇게 말씀해 주시는 건 기쁘지만, 저는 아직 제 몫을 하지 못하는 신입이라서요."

"무슨 그런 말을, 도키와 씨는 하루하루 놀랄 만큼 성장하고 있습니다."

도키와는 다니구치와 함께 방문객이 마지막 재회를 무사히 마칠 수 있도록 안내했다. 다니구치는 그 모습을 보며 도키와의 성실한 성격이 안내인 일에 적격이라고 믿어 의심치 않았다.

"그렇게 말씀해 주셔서 기쁘지만, 저는 앞으로도 정신을 바짝 차리고 있을 겁니다. 누가 뭐래도 안내인의 사명은 이곳을 찾아오는 사람들의 마지막 순간에 해피 엔딩을 선물해 주는 것이라고 믿으니까요."

다니구치는 도키와의 말에 고개를 끄덕였다. 새삼 도키와를 후임으로 뽑길 정말 잘했다는 생각이 들었다. 사람 보는 눈이 정확했다. 이제 안심하고 안내인 자리를 넘겨줘도 될 것 같았다.

그런데 그때, 다니구치의 머릿속에 한 가지 의문이 떠올랐다.

"사명이라……."

도키와는 다니구치가 고개를 갸웃거리는 까닭을 알지 못했다.

"왜 그러세요? 제가 엉뚱한 소리라도 했습니까……?"

다니구치는 불안한 표정을 숨기지 못하는 도키와를 향해 고개를 옆으로 세차게 저으며 대답했다.

"아뇨, 도키와 씨가 엉뚱한 소리를 한 건 아니에요. 다만, 한 가지 마음에 걸리는 게 있어서……."

"마음에 걸린다고요?"

"예에. 사명이라는 말, 말입니다."

"사명, 말씀이세요?"

도키와가 또다시 묻자 다니구치는 천천히 말문을 열었다.

"사명이라는 말에 대해, 저도 예전부터 이래저래 생각해 봤습니다. 살아생전 우체국에서 일하던 시절에는 '우체국에서 일하는 사람의 사명은 편지를 전달하는 것'이라고 믿었어요. 그래서 사람들의 마음이 담긴 편지를 반드시 잘 전달하겠다는 각오로 임했습니다. 그리고 여기서는, 도키와 씨 말마따나 작별의 건너편을 찾아오는 사람들의 마지막 순간을 해피 엔딩으로 만들어 주는 것이 사명이라고 여겼습니다. 진심으로 그렇게 생각했습니다."

다니구치는 숨을 한 번 돌리고 나서 뒷말을 이었다.

"그런데 꼭 이런 일이나 역할에만 사명이 주어지는 걸까요? 평범하게 일상을 살아갈 때도 우리 각자에게 주어진 사명이 있지 않을까요? 그런 사명이야말로 모두에게 공통으로 해당하는 답이 아닐지……."

"각자에게 주어진 사명……."

도키와는 상상도 해본 적 없는 말이었다.

그렇기에 한참 뒤에야 다음 말을 이을 수 있었다.

"무척이나 어려운 문제네요. 모두에게 공통으로 해당하는 답이라니……."

"예, 참 어렵죠. 신경 쓰기 시작한 걸 후회할 정도랍니다."

다니구치는 그렇게 말하며 껄껄 웃었다.

그러더니 아주 잠깐 진지한 표정을 짓다가 다시 말을 이었다.

"제게 이곳에서의 마지막 순간이 다가오고 있어서 이런 생각을 하는지도 모르겠군요."

"마지막 순간……."

도키와는 다니구치에게조차 들리지 않을 듯한 목소리로 입술을 달싹거렸다.

다니구치는 유백색 공간을 물끄러미 바라보며 한마디 더 덧붙였다.

"도키와 씨에게 안내인 임무를 모조리 넘겨주고 배턴 터치하는 날에는 그 답을 알 수 있으면 좋겠군요."

다니구치는 또다시 커피를 입으로 가져갔다.

도키와도 다니구치를 따라 천천히 캔을 기울였다.

맥스 커피의 달달한 향과 희미한 작별의 맛이 유백색 공간 속으로 섞여 들었다.

제1화

응원가

Fight Song

1

“뭐지, 여기는…….”

요시자와 히카리는 잠에서 깨어나자마자 그렇게 중얼거렸다. 아무것도 없어 휑뎅그렁한 유백색 공간이 시야 가득 펼쳐졌다. 도저히 현실이라고는 믿기지 않는 광경이었다.

“이곳은 ‘작별의 건너편’입니다.”

눈앞에 서 있던 백발이 성성한 남자가 말했다.

“작별의 건너편……?”

히카리는 남자의 말을 알아들을 수 없었다. 이어서 옆에 서 있던 검은 머리의 남자가 입을 뗐다.

“그리고 저희는 이곳, 작별의 건너편의 안내인입니다.”

“안내인……?”

히카리는 점점 더 이 상황을 받아들이기 힘들었다. 마치 서로 다른 언어로 대화하는 듯한 느낌이었다. 도무지 제대로 된 정보가 귀에 들어오지 않았다. 하지만 그 대신 시각 정보는 선명하게 눈에 들어왔다.

흑발 남자는 백발 남자보다 어려 보였다. 그렇다고 띠동갑까지 차이가 날 것 같지는 않았다. 백발 남자는 얼핏 얼굴만 보면 자기 또래처럼 보이기도 했다.

히카리가 알아낸 정보는 그게 다였다. 눈앞에서 무슨 일이 일어나고 있는지는 아직 파악하지 못했다.

"작별의 건너편이고 안내인이고, 무슨 소리인지 하나도 못 알아듣겠네요. 그런 헛소리에 장단 맞출 시간 없으니까 그만 집에 갈게요. 방금까지 나는……."

거기까지 말하던 히카리는 어떤 기억이 떠올랐다.

"아……."

좀 전까지 히카리는 캠핑을 가기 위해 자동차로 지바의 고갯길을 달리고 있었다.

그런데 갑자기 야생 동물인 문착(사향 사슴을 닮은 작은 사슴으로 중국과 일본 등에 분포한다)이 차 앞으로 뛰어들었고, 그걸 피하다가…….

"앗, 설마……."

히카리는 혼잣말처럼 작게 중얼거리다가 눈앞에 서 있는 두 사람에게 눈을 돌렸다.

"내가……."

그리고 마음을 단단히 먹고 물었다.

"죽었어요?"

두 안내인은 동시에 고개를 끄덕였다.

"일단 이거 하나 드시면서 숨 좀 돌리세요."

두 안내인 중 자신을 다니구치라고 소개한 백발 남자가 캔 커피를 내밀었다.

"난 원래 이렇게 달달한 건 안 마시는데."

히카리는 툴툴거리면서 캔 커피를 받아 들었다. 취미 중 하나가 근력 운동인지라 당분을 제한하며 살았지만, 이제 죽었으니 더는 신경 쓸 필요가 없다는 생각이 불쑥 들었기 때문이다.

"……잘 마실게요."

히카리가 그렇게 말하자 도키와라는 젊은 안내인과 다니구치의 입에서 "잘 마시겠습니다"라는 말이 동시에 흘러나왔다.

결국 세 사람이 함께 커피 타임을 즐기는 모양새가 되었다.

뭐지, 이 상황은……. 지나치게 초현실적이었다. 히카리는 당혹감을 감추지 못했다.

히카리를 당혹스럽게 만든 또 한 가지는 이 캔 커피의 단맛이었다. 오랜만에 마신 맥스 커피는 여전히 굉장히 달았다.

히카리는 자기도 모르는 사이에 이 단맛에 중독된다는 걸 알고 있었다. 하지만 때때로 이 커피가 너무너무 마시고 싶어서 죽을 것 같았다.

"어떠십니까, 숨이 좀 트이셨습니까?"

"아뇨, 전혀."

히카리는 전혀 그럴 기미가 없어서 에두르지 않고 솔직하게 대답했다. 애당초 이렇게 어처구니없는 상황에서 숨을 돌린다는 게 말이 안 됐다.

맥스 커피에도 그런 효과는 없었다.

"그러시군요……."

다니구치는 내심 효과를 기대했던 모양이다. 아주 대놓고 어깨를 축 떨어뜨렸다.

지금 히카리는 그런 데다 마음을 쓸 여유가 없었다.

"……됐고요, 내 마음을 진정시키고 싶으면 설명이나 빨리 해주세요. 죽었다는 건 알겠는데, 내가 왜 여기에 있는 거죠? 작별의 건너편? 안내인은 또 뭐죠? 난 이제 어떻게 되는 거죠?"

히카리가 몰아붙이듯 말을 쏟아내자 이번에는 다니구치 대신 옆에 있던 도키와가 차분하게 설명을 시작했다.

"작별의 건너편이란, 지금 저희가 있는 이곳의 이름입니다. 죽은 후에 사람들은 이곳에 오게 됩니다. 그리고 저희는 이곳에 온 사람들이 '마지막 재회'를 할 수 있도록 돕는 안내인입니다."

"마지막 재회?"

또다시 낯선 단어가 나오자 히카리는 그 말을 되풀이했다.

"예. 마지막 재회란 죽은 사람에게 꼬박 하루, 그러니까 24시간 동안 다시 현세로 돌아가서 보고 싶은 사람과 한 번 더 만날 수 있는 시간을 허락하는 것입니다."

"현세로 돌아가서 보고 싶은 사람을 만난다……."

히카리는 그렇게 중얼거리다가 고개를 갸웃거렸다.

"이게 말이 돼요? 죽었던 사람이 다시 돌아오면 한바탕 소동이 벌어질 텐데, 난 그런 얘기는 한 번도 못 들어 봤다고요. 황당무계한 판타지 속 세상도 아니고."

히카리는 다소 장난스럽게 말했지만, 다니구치는 진지한 얼굴로 말을 받았다.

"그렇게 말씀하신다면, 지금 이 상황이 훨씬 더 비현실적이라는 생각이 들지 않으십니까?"

"……."

히카리는 받아칠 말을 찾지 못했다. 다니구치의 말이 맞았다. 현실에 있을 수 없는 유백색 공간. 그곳에 존재하는 안내인이라는 이름의 두 남자. 그리고 사고로 목숨을 잃은 자신까지.

그런데 지금 이런 곳에서 마치 아무 일도 없었다는 듯이 대화를 나누고 있다.

이 상황이야말로 절대로 있을 수 없는 판타지였다.

"……흐음, 계속 설명해 주실래요?"

히카리는 억지로 자신을 설득하며 대화를 이어 나갔다. 지금은 달리 다른 방법이 떠오르지 않았다.

"고맙습니다. 좀 전에 죽었던 사람이 다시 돌아오면 한바탕 소동이 벌어지지 않겠느냐고 하셨는데요, 그 문제에 관해서라면 한 가지 조건이 있습니다."

"조건이요?"

다니구치는 검지를 세우고 대답했다.

"현세로 돌아가서 만날 수 있는 사람은 아직 당신이 죽었다는 사실을 모르는 사람뿐입니다."

"네에? 아니, 그러면 그게 무슨 소용이에요?"

히카리의 입에서 저절로 그 말이 튀어나왔다. 도무지 의미를 이해할 수가 없었다. 자신이 죽었다는 사실을 모르는 사람은 평소 가까이 지내지 않았던 이들뿐이다. 그런 사이라면 굳이 만나러 가고 싶지 않았다.

다니구치의 이야기는 아직 끝나지 않았다.

"지금 들은 얘기만으로는 수긍이 가지 않는 게 당연할 테니, 설명을 좀 더 덧붙여도 될까요? 부디 억지로 갖다 붙인 매정한 규칙이 아니라는 사실을 알아주시길 바랍니다."

"말씀해 보세요."

히카리는 단순히 그 이유가 궁금했다. 왜 이런 규칙이 생겼는지는 옆에 있던 도키와가 설명해 주었다.

"지금 히카리 씨는 현세에 실체를 갖고 있지 않은 아주 어렴풋한 존재로, 타인의 기억과 인식에 의해 겨우겨우 모습을 유지하고 있습니다. 그렇기 때문에 히카리 씨가 이미 죽었다는 걸 아는 사람이 히카리 씨를 다시 만났을 경우, '히카리 씨가 이승에 존재할 리가 없어!'라고 생각해서 그 사람의 기억과 인식이 심하게 어긋나고 맙니다. 그렇게 어긋난 기억과 인식에 모순이 발생하면 죽은 사람은 현세에서 모습을 유지할 수 없게 되고요."

이어서 다니구치가 설명을 계속했다.

"사람이라는 존재는 타인의 인식에 의해 이루어진 부분이 많습니다. 혹시 이런 말 못 들어 보셨습니까? 사람은 두 번 죽는다. 현세의 육신이 죽을 때, 그리고 남은 사람들의 기억 속에서 잊힐 때. 그러므로 당신의 죽음을 아는 사람을 만나게 되면, 24시간이 끝나기 전이라도 현세에서 모습이 사라지고 이쪽으로 강제 소환됩니다."

"맙소사……."

히카리는 그런 말은 처음 들었지만, 들어보니 꽤 일리가 있어서 뭐라고 반박할 수 없었다. 그런 사정이라면 수긍이 갔다. 지금까지 똑같은 일이 여러 번 일어났더라도 큰 소동이 발생하지 않은 것은 이 규칙이 있기 때문이었다.

자신이 죽었다는 사실을 모르는 사람이라면, 자신이 현세에 나타났다는 정보가 새어나갈 가능성이 아주 낮았다. 혹시 목격했다는 소문이 퍼지더라도 심령 현상이나 괴담 취급하면서 웃어넘길 수도 있을 것이다.

그럭저럭 수긍할 만한 이론이 성립되자 히카리는 비로소 이 세계를 신뢰할 마음이 생겼다. 캔 커피를 마실 때보다 한결 마음이 진정되었다. 여러 가지 일들에 고개가 끄덕여졌다.

그러고 나자 도키와가 송구스러운 얼굴로 말을 꺼냈다.

"그런데 히카리 씨는 죽은 지 이미 일주일이 지났습니다. 그렇다 보니 만날 수 있는 사람이 극히 제한됩니다."

아닌 게 아니라 지금까지의 설명대로라면 무척 까다로운 상황일 것 같았다. 만날 수 있는 사람이 거의 없으리라.

그런데 정작 당사자인 히카리는 아주 태연했다. 그 말을 듣고도 얼굴색 하나 바뀌지 않았다.

사실 히카리에게는 그럴 만한 사정이 있었다.

"뭐, 난 딱히 상관없어요."

히카리는 담담하게 뒷말을 이었다.

"이상하게 들리겠지만, 죽음이 슬프지 않고, 만나고 싶은 사람도 없어서 눈물 한 방울 안 나거든요."

히카리의 부모님은 어릴 때부터 히카리를 사내아이처럼 키웠다. 부모님은 아들이 태어나기를 기대했었다. 그런 마음을 담아 성별에 상관없이 쓸 수 있는 '히카리'라는 이름을 딸에게 지어 주었다.

히카리는 어려서부터 가라테를 배웠다. 부모님은 히카리가 여자아이여도 강하게 자라길 바랐다. 히카리가 결코 절망하지 않았던 건 어쩌면 타고난 신체 조건 때문일 수도 있다. 키가 큰 편이어서 학년별 시합에서 남자아이에게 진 적이 거의 없었다.

매일매일 계단을 오르듯 훈련과 시합을 쌓아가는 동안 히카리는 점점 더 씩씩하고 명랑해졌다. 초등학생 때는 남녀를 불문하고 두루두루 잘 어울리는 성격 덕분에 인기가 많았다. 하지만 그 때문에 여자아이들에게는 꽤나 미움을 사기도 했다.

그럴 때 히카리가 느낀 감정은 '참 성가시네'였다. 처음부터 의도적으로 남자아이와 어울려 놀 생각은 없었다. 남녀 구분 없이 지내는 동안 남자와 같이 있을 때가 더 편하다는 사실을 깨달았을 뿐이었다. 그랬더니 언제부터인가 여자들에게 따돌림을 당하게 되었다.

그 후로 히카리는 태세를 바꾸었다. 그렇다고 여자들과 어울리기 위해 적극적으로 노력한 건 아니었고, 단순히 남자들과의 접촉을 줄였다. 전체적인 대인 관계를 좁혀버린 것이다. 그랬더니 예상했던 만큼 문제가 발생하지 않았고, 스스로도 그게 편하다고 느꼈다. 혼자 있어도 전혀 불편하지 않았다.

결국 히카리는 대학을 졸업하고 직장인이 되고도 사람들에게 벽을 치고 살았다. SNS에서만 속마음을 솔직하게 털어놓곤 했다. 히카리는 그 정도의 거리감이 딱 좋았다.

매일 혼자 지내는 생활에 익숙해진 탓에 누군가와 친밀한 인간관계를 맺어보지 못했다. 그런 까닭에 마지막으로 만나고 싶은 사람을 생각해 봐도 아무도 떠오르지 않았다. 정말 얄궂기 짝이 없는 일이었다.

"그러시군요. 만나고 싶은 사람이 없다고 하시는 분은 드물지 않지만……."

다니구치가 난처해하며 아직 할 말이 남은 듯 다시 말문을 열었다.

"이렇게 젊을 때 죽었는데 슬프지 않다고 하시는 분은 거의 없었습니다."

"그래요? 젊다고 해도 벌써 스물아홉이나 먹었는 걸요. 부모님도 나이가 많아서 이미 다 돌아가셨고, 결혼을 안 해서 애도 없어요. 친척이나 동거인이 있었다면 죽음이 훨씬 더 슬프게 다가왔을지도 모르죠."

그 순간, 히카리는 뭔가 생각났다는 듯이 "앗" 하고 소리쳤다.

"왜 그러십니까?"

"별로 안 슬펐던 이유가 하나 더 있었어요."

"그게 뭡니까?"

"내가, 아직 눈물을 한 방울도 안 흘렸잖아요."

"그러고 보니 그렇네요."

"살아 있을 때부터 슬퍼서 울어본 적이 한 번도 없었어요."

"……그게 정말이에요?"

"물론이죠. 갓난아이 때는 다른 아기들만큼 울었겠지만, 철이 든 후로는 울어본 적이 없어요. 눈물을 보여선 안 된다는 게 우리 집 가훈이었거든요."

"무슨 가훈이 그렇습니까?"

"눈물은 여자의 비밀 병기. 일평생 비밀에 부쳐야 한다."

"가훈이 진짜 그렇다고요?"

"아뇨, 지금 대충 만들어 봤어요."

그러면서 히카리는 하하 소리 내어 웃었다. 다니구치와 도키와는 기가 막혔다. 어처구니없는 상황을 앞에 두고 놀라움을 감추지 못했다.

"강한 분이시군요……."

다니구치가 혼잣말하듯 중얼거리자 히카리가 손가락으로 다니구치를 가리키며 말했다.

"그거, 예쁘다거나 멋있다는 말보다 더 좋아하는 최고의 칭찬이에요! 고맙습니다."

히카리는 그렇게 말하다가 생각에 잠긴 듯한 얼굴로 입술을 움직였다.

"……그치만, 진정한 강인함이 뭔지 아직 모르겠어요. 그걸 알기 전에 죽은 건 좀 슬프네요."

"진정한 강인함, 말씀입니까?"

"네. 강하다는 게 뭘까요? 가라테를 할 때도 늘 생각했어요. 지금까지 나 나름대로 강한 사람이 돼야겠다고 생각하면서 살아왔지만……."

"그렇군요, 강인함이라……."

다니구치와 히카리의 대화가 무르익어 가던 찰나, 도키와가 허둥지둥 두 사람 사이에 끼어들었다.

"저기, 지금은 히카리 씨가 마지막으로 만나고 싶은 상대를 생각하셔야 하지 않을까요?"

"아, 그렇지."

다니구치가 살짝 뉘우치는 투로 대답했다. 히카리도 일단 원래의 화제로 말머리를 돌렸다.

"마지막으로 만나고 싶은 사람. 거기다 내가 죽었다는 사실을 모르는 사람. 아무리 생각해 봐도 생각나는 사람이 없는데……."

히카리는 곰곰이 생각하는 표정을 지었다. 그러더니 금방 얼굴이 확 밝아졌다.

좋은 아이디어가 떠오른 모양이었다.

"랜선 친구도 괜찮아요?"

"랜선 친구……?"

다니구치가 무척 곤혹스러워하면서 되물었다. 말귀를 알아듣지 못한 눈치였다.

"랜선 친구란, 인터넷상으로 대화를 하거나 연락을 주고받는 친구라는 뜻입니다. SNS 등을 통해서요."

옆에 있던 도키와가 구조의 손길을 내밀었다.

"에스, 엔, 에스……."

그러나 다니구치는 그 손을 잡지 못했다.

"SNS란, 인터넷에서 다양한 사람들과 쉽게 교류할 수 있도록 해주는 서비스예요. ……다니구치 씨, 인터넷이 뭔지는 아시죠?"

"예에, 어렴풋하게나마."

이번에는 히카리가 곤혹스러워했다. 자신의 나이와 얼추 비슷할 것 같았던 다니구치가 SNS는 물론이고 인터넷조차 제대로 이해하지 못하는 기색이 역력했기 때문이다.

"여기는 와이파이가 안 터지나 봐요."

"와, 와이파이……?"

"히카리 씨! 더 이상 새로운 정보는 꺼내지 말아 주세요."

금방이라도 패닉 상태에 빠질 듯한 다니구치를 보고 도키와가 목소리를 높이며 말했다. 그러더니 앞장서서 대화를 끌고 가기 시작했다.

"히카리 씨, 당신이 만나고 싶은 랜선 친구는 누구입니까?"

"트위터(2023년 일론 머스크가 인수한 후로 'X'로 명칭이 변경되었다)로 교류하는 사람은 여러 명인데, 내 트위터에 답글을 가장 많이 달아준 사람은 유키예요. 아직 만나 보지는 못했지만, 나처럼 되고 싶다는 말도 했었고요."

다니구치가 옆에서 "트위터……, 답글……" 하고 우물우물했지만, 도키와는 안 들리는 척 대화를 이어 나갔다.

"그렇군요. 트위터로 아는 사이라면 히카리 씨 쪽에서 글을 올리지 않는 한, 히카리 씨가 죽었다는 사실을 알 수 없을 테니까 만나는 데 문제가 없겠군요."

도키와는 한차례 헛기침을 하고 나서 설명을 계속했다.

"아까 말씀드린 것과 겹치는 내용이 있을지 모르지만, 현세로 돌아가기 전에 한 번 더 말씀드리겠습니다. 마지막 재회에 허락된 시간은 하루, 즉 24시간입니다. 그리고 만날 수 있는 상대는 히카리 씨의 죽음을 모르는 사람뿐입니다. 몇 명을 만나도 상관없지만, 히카리 씨가 죽었다는 사실을 알고 있는 사람을 만나게 되면 그 즉시 현세에서 모습이 사라지고, 여기 작별의 건너편으로 돌아오게 됩니다. 중요한 규칙은 이 정도입니다. 혹시 질문 있으세요?"

"아뇨, 자세하게 설명해 줘서 고마워요."

히카리의 대답을 들은 도키와는 고개를 까딱였다. 그리고 그때, 다시 정신을 차린 다니구치가 앞으로 걸어 나오며 말했다.

"……이야, 시대는 시시각각 변하는군요. 저처럼 태평스러운 사람은 못 따라가겠습니다. 그건 그렇고, 이제 다시 한번 현세로 가실까요?"

그렇게 말하면서 다니구치가 손가락 두 개를 시원스레 튕기자 아무것도 없던 유백색 공간 위로 문 하나가 떠오르듯 나타났다.

나무로 된 낡은 문이었다. 처음 보는 문인데도 그 문에 시선을 맞춘 히카리의 마음에 그리움이 밀려왔다. 마치 온도가 느껴질 것처럼, 따스함이 묻어나는 문이었다. 히카리는 문득 이 문을 만져 보고 싶다고 생각하다가 어느새 문 앞까지 가 있는 자신을 알아차렸다.

"이 문을 통과하면 현세로 돌아갑니다. 잘 다녀오세요."

다니구치의 인사를 들은 히카리는 문손잡이에 손을 갖다 댔다.

"다녀오겠습니다."

히카리는 망설임 없이 힘차게 걸음을 내디뎠다.

2

"진짜였구나……."

후나바시역 앞 벤치에서 눈을 떴을 때 지나가는 사람들의 모습이 시야에 잡히자 자연스레 이 말이 흘러나왔다.

너무나 신기한 느낌이었다. 어쩌면 좀 전까지 봤던 광경이 꿈일지도 몰라. 하지만 그랬으면 마지막 기억으로 남아 있는 지바의 고갯길이나 사고 후에 옮겨진 병원에서 눈을 떴겠지.

지금 나는 전후 상황과 전혀 연결되지 않는 후나바시역 앞에 있다. 말도 안 되는 일이다.

그렇기에 오히려 지금까지 일어났던 일을 믿을 수 있었다. 아니, 지금은 믿을 수밖에 없다.

"내가 진짜 죽었나 보네……."

그러면서 동시에 내가 죽었다는 사실을 자각했다. 그렇다고 눈물이 차오를 만큼 슬프지는 않았다. 그저 답안지를 확인한 듯한 기분이 들었을 따름이다.

나는 죽었다. 그리고 다니구치와 도키와라는 두 안내인의 안내를 받으며 현세로 돌아왔다. 24시간이라는 조건이 붙은 채로.

"……오케이."

감상에 젖어 있을 겨를이 없었다. 그런 성격도 아니다. 24시간쯤은 우물쭈물하는 사이에 지나가 버린다. 이러고 있는 동안에도 시간은 시시각각 흐르고 있다.

나는 작별의 건너편에서도 말했다시피 유키를 만나고 싶었다. 그러려면 인터넷을 쓸 수 있는 곳으로 가야만 했다.

일단 도서관으로 걸음을 옮겼다. 도서관에는 무료로 인터넷을 사용할 수 있는 PC 코너가 마련되어 있었다. 트위터 아이디와 패스워드를 입력하고 로그인했다. 당연하겠지만, 일주일 만에 접속했다. 물론 트위터에서는 일주일 치의 공백을 찾아볼 수 없었다. 오직 내 계정에만 일주일 전의 날짜가 표시되어 있을 뿐이었다. 이것만 봐서는 내가 죽었다는 사실을 아무도 모를 것이다.

"유키에게……."

너무 갑작스러운 데다 시간도 평일 낮이었기에, 밑져야 본전이라는 생각으로 오프라인에서 만나고 싶다는 내용의 짧은 DM을 보냈다. 만에 하나 유키가 거절하면 다른 팔로워에게 연락할 작정이었다.

"앗."

의외로 곧바로 답장이 왔다. 오프라인에서 만나자는 얘기도 단번에 받아들여 주었다. 예전부터 트위터에서 친하게 지내온 터라 유키도 직접 만나서 대화를 나눠보고 싶었다고 했다. 게다가 운이 좋게도 사는 곳이 무척 가까웠다. 두 사람 다 집이 지바현이라는 건 알고 있었지만, 소부선 전철로 겨우 몇 정거장 떨어진 곳에 살고 있다는 것까지는 몰랐다.

쓰다누마역을 약속 장소로 정했다. 개찰구를 빠져나가 왼쪽으로 돌면 보이는 시계 옆 원형 벤치에서 만나기로 했다.

"……."

약속 장소에는 내가 먼저 도착했다. 막상 여기까지 오고 나니 조금 떨렸다. 어쨌거나 인터넷상에서 알게 된 사람과 실제로 만나는 건 이번이 처음이니까.

유키와는 우연히 같은 시간대에 같은 TV 프로그램을 시청했던 일을 계기로 처음 대화를 나누게 되었다. 그때 출연했던 가수에 관해 유키가 트위터에 올린 글을 보고 내가 먼저 답글을 달았다. 유명한 가수는 아니었다. 하지만 그랬기 때문에 우리는 좁은 커뮤니티 안에서 급속도로 친밀해졌다.

그 후로는 아무 얘기나 나누곤 했다. 나는 가끔 근력 운동을 하는 내 사진을 올렸는데, 그걸 보고 대단하다고 말해준 사람도 유키였다. 고작 그런 칭찬을 들었다고 의욕이 넘쳤던 나도 참 나다. 아무튼 그렇게 인터넷상으로만 연락을 주고받았을 뿐, 지금까지 실제로 만난 적은 없었다. 그 정도 거리감이 좋았다. 나는 상대방이 어떤 사람인지 잘 모르고, 상대방도 내가 어떤 사람인지 잘 모른다. 서로 사생활을 캐묻는 일도 없었다. 덕분에 쓸데없이 신경 쓰는 일 없이 이 관계를 이어올 수 있었다. 실제로 만나게 되면 지금까지의 절묘한 균형이 깨질지도 모른다고 생각했다.

그런데도 오늘 이 자리까지 선선히 올 수 있었던 건 내가 이미 죽었기 때문이 아닐까. 어쩌면 될 대로 되라는 심정일지도 모르겠다.

원동력이 뭔지는 불분명하지만, 지금 내가 이 만남을 기대하고 있다는 사실만은 확실했다.

바로 그때였다.

"……고 씨 맞아요?"

누가 내 닉네임을 불렀다. 이 상황에서 그 닉네임을 부른 걸 보니 내 눈앞에 있는 사람은 유키가 분명했다.

"유키 씨……?"

내가 얼떨떨해하며 물은 건, 유키의 외모가 내 예상과 백팔십도 달랐기 때문이다. 일단 나와 나이 차가 상당히 많이 났다. 고등학생 정도일까. 거기다 길고 까만 머리카락이 주위의 이목을 사로잡을 정도로 눈에 띄었다.

"유키라고 부르시면 돼요……."

유키는 그렇게 말했다. 자신감이 없는 말투였다. 아직 긴장하고 있는 걸까. 어쩌면 나도 유키가 상상했던 모습과 다를 수 있다. 우리 두 사람을 둘러싼 공기에 어색함이 덕지덕지 붙어 있었다. 이럴 때는 나이가 많은 내가 리드해야겠지.

"그래. 그럴게, 유키. 나는 '고'든, '히카리'든, 편한 대로 불러."

"고, 히카리……."

"한자로 빛 광(光, 일본어에서는 한자 '빛 광'을 음독하면 '고', 훈독하면 '히카리'라고 읽는다) 자를 쓰거든. 둘을 섞어서 '고시히카리(쌀의 품종 중 하나)'라고 불러도 되고, 아니면 나한테 첫눈에 반했다는 의미로 '히토메보레(쌀의 품종 중 하나로, 첫눈에 반했다는 뜻이다)'라고 부르든가."

"……히카리 씨로 할게요."

……전혀 먹히지 않았다. 쌀 품종 개그는 썰렁하게 끝이 났다. 야심 차게 준비한 농담은 보기 좋게 실패했다. 이런 경우는 처음인지라 나도 살짝 아찔해졌다. 아직 상대방에 관해 마음에 걸리는 부분이 잔뜩 남아 있었다. ……일단 나이부터 물어보자.

"저기, 참고로, 지금 몇 살이니?"

참고로라는 말이 왜 나왔는지 나도 모르지만, 유키는 잠시 뜸을 들이다가 대답했다.

"……열여덟 살이에요."

"그렇구나, 열여덟 살. 난 스물아홉이니까, 한 살만 더 많았으면 띠동갑이었을 텐데, 아쉽다."

자학적인 나이 개그를 선보였는데도 분위기는 나아지지 않았다. 유키는 난처한 표정을 짓고 있었다. 그러면서 내 눈을 똑바로 쳐다보지 못했다. 부끄럼을 많이 타는 성격 같으니까 시간을 두고 천천히 다가가는 게 좋겠다 싶었다.

"이제 뭐 할까? 혹시 어디 가보고 싶은 데 있어?"

가볍게 질문을 던졌다. 분명 딱히 없다거나 카페에 가고 싶다거나 하는 소극적인 대답이 돌아올 거라고 예상했다. 나도 생각할 시간이 필요했기에 대화의 공백을 메우기 위해서 툭 던져본 거였다.

그런데 유키의 입에서 뜻밖의 말이 튀어나왔다.

"……놀이공원."

"놀이공원?"

"제트 코스터 타보고 싶어요."

상상도 못 한 말이었다.

"제트 코스터 타는 거 좋아해?"

"……안 좋아해요. 무섭잖아요."

의외라고 해야 할지, 영문을 알 수 없는 대답이었다.

"안 좋아하는데 타고 싶다고?"

유키는 고개를 끄덕였다.

"다른 건 하고 싶은 거 없어?"

"번지 점프."

"번지 점프는 좋아해?"

어떤 대답이 돌아올지 짐작이 갔다.

"……안 좋아해요. 무섭잖아요."

역시.

여전히 종잡을 수가 없었다.

"그래도 해보고 싶어?"

유키는 이번에도 미약하게 고개를 끄덕였다.

어쨌든 두 군데의 목적지 후보가 생겼다. 무섭지만 해보고 싶다는 심리는 도무지 이해가 되지 않았지만, 별다른 아이디어가 없던 나로서는 고마운 제안이었다.

"사실 난 제트 코스터와 번지 점프, 둘 다 해보고 싶고 무섭지도 않아."

가슴을 펴고 자신만만하게 말했더니 유키가 선망의 눈빛으로 나를 바라보았다.

"대단해요, 히카리 씨……."

나처럼 되고 싶다는 답글을 달았을 때도 이런 표정이었을까. 나는 이제야 조금씩 긴장이 풀리는 느낌이 들었다.

"그럼, 가보자."

내가 그렇게 말을 꺼내자 유키는 지금껏 냈던 소리 중 가장 큰 소리로 "예" 하고 대답했다.

그래 봤자 평소의 내 목소리보다 작았지만.

3

덜커덩덜커덩.

기계 소리와 함께 차량이 가파른 언덕을 올라갔다. 사방에 마치 시한폭탄의 스위치가 켜진 듯한 긴장감이 감돌았다.

제트 코스터가 있는 놀이공원을 찾아 스이도바시의 도쿄 돔 시티 어트랙션스로 왔다. 소부선을 타면 갈아타지 않고 한 번에 올 수 있어서 좋았다. 그리고 지금 우리는 이곳의 명물인 제트 코스터, 선더 돌핀에 몸을 싣고 있다.

"……."

"괘, 괜찮아?"

얼굴이 하얗게 질린 유키에게 말을 걸었지만 대답이 없었다. 나에게 마음을 쓸 여유가 없어 보였다.

"네가 타고 싶다고 해서 온 거야."

핑곗거리를 대려던 건 아니었지만, 제트 코스터가 내려가기 전에 기어이 한마디 얹고 말았다. 그런다고 이제 와서 취소할 수도 없는 노릇이지만…….

덜커덩덜커덩.

제트 코스터가 정상을 향해 올라갔다. 생각해 보니, 초등학생 때 이후로 한 번도 제트 코스터를 타지 않았다. 그런 기억을 떠올릴 만큼 내 머리는 이성적이었다.

왜냐하면 보통은 일상에서 누릴 수 없는 스릴을 즐기려고 이런 무서운 놀이기구를 타러 올 테지만, 지금 나는 제트 코스터가 아니더라도 충분히 스릴을 맛보고 있기 때문이다.

어차피 나는 이미 죽은 몸이다. 죽음에 비하면 제트 코스터가 주는 긴장감 따위는 아무것도 아니었다. 지금 내게 공포를 선사할 수 있는 대상은 아무것도 없다.

"어엇."

옆에 있던 유키의 입에서 목소리가 새어 나왔다.

때마침 제트 코스터가 정상에 다다른 순간이었다.

그 후로 주변 배경이 빠르게 흘러갔다. 한번 떨어지기 시작한 제트 코스터는 어마어마하게 빨랐다. 순식간에 레일 위를 달려 나갔다. 속도가 붙을수록 비명을 질러대는 사람이 많아졌다. 유키는 비명도 지르지 못하고 안전 바만 꽉 잡고 있었다. 마치 고통의 시간이 끝나기를 참고 견디는 사람 같았다.

왜 유키가 제트 코스터를 타고 싶어 했는지는 여전히 미지수였다. 스릴을 만끽하는 것 같지도 않았다. 단순히 경험해 보고 싶었던 걸까?

이유를 알기 전에 시간이 끝났다.

"제트 코스터는 재미있었어?"

놀이기구에서 내려 비틀비틀 걷고 있는 유키에게 물었더니, 고개를 옆으로 작게 흔들었다.

"재미는 못 느꼈어요."

"……그래도 타보고 싶었던 거 맞지?"

"네."

"그럼, 타보니까 좋았어?"

"좋았어요."

그래도 좋았다니 다행이었다. 후회하는 것 같지는 않았다. 무섭긴 해도 좋은 경험으로 남은 듯했다. 하지만 이런 경험을 하고 싶어 하는 이유가 뭔지는 여전히 감이 잡히지 않았다.

"마지막으로 놀이공원에 온 건 언제였어?"

그 이유가 궁금했던 나는 넌지시 질문을 던졌다.

"초등학교 3학년 때였나, 그때쯤이었던 것 같아요."

"그때는 왜 왔는데?"

"학교 소풍으로요."

이때까지는 별다른 변화가 없었다. 그런데 다음 질문을 하자 유키의 표정이 미묘하게 달라졌다.

"학교 행사 말고는 와본 적 없어?"

"없어요……."

"그랬구나."

그렇게 대답하고 나서 나 역시 가족이나 친구와 함께 놀이공원을 찾았던 적이 없다는 사실을 깨달았다.

"나도 놀이공원에 놀러 와본 적은 없어."

사실을 있는 그대로 말하고 싶었을 뿐 아니라, 유키에게 한 가지 더 해주고 싶은 말이 있었다.

"친구와 놀러 온 건, 오늘 너랑 같이 온 게 처음이야."

내가 그렇게 말하자 유키는 오늘 본 것 중에 가장 환한 표정을 지었다.

"……우리 둘 다 친구와 온 건 오늘이 처음이네요."

"그렇네."

그렇게 확인하는 유키의 입가에 미소가 어렸다. 유키가 기뻐하는 모습을 보니 나도 덩달아 기분이 좋아졌다. 유키의 웃는 얼굴을 본 것만으로도 놀이공원에 온 보람을 느꼈다.

"자, 그럼 이제 번지 점프 하러 갈까?"

나는 유키가 웃는 모습을 좀 더 보고 싶다는 순수한 마음에서 빨리 번지 점프를 하러 가자고 제안했다.

4

"3……, 2……, 1……, 번지!"

또다시 전철을 타고 지바의 머더 목장(지바현 훗쓰시에 있는 목장을 주제로 한 테마파크)에 왔다. 나도 번지 점프는 처음이었다. 그렇지만 제트 코스터를 탔을 때처럼 번지 점프 역시 손톱만큼도 무섭지 않았다. 몸을 날린 순간에는 홀가분했달까, 쾌감마저 느낄 수 있었다. 번지 점프를 즐기는 이들의 기분을 조금은 이해한 듯 싶었다.

나와 달리 유키는 제트 코스터를 탈 때처럼 겁에 질려 있었다. 점프하기 전, 마지막 한 걸음을 떼지 못해 스태프가 카운트다운을 반복하느라 애를 먹었다. 번지 점프는 제트 코스터와 달라서 스스로 뛰어내려야만 했다.

드디어 유키가 허공으로 몸을 날렸다. 그건 용기를 그러모아 스스로 결단을 내렸다기보다는 차례를 기다리는 사람들 때문에 마지못해 내린 선택이었다. 더 이상 사람들을 기다리게 해서는 안 된다는 조바심이 유키를 뛰어내리게 만들었다.

결과적으로 나 외에 유키가 자기 자신이 아니라 타인을 위해 몸을 던졌다는 사실을 눈치챈 사람은 없었다. 그래서 나는 유키가 착지하고 난 후에 "두려움을 이겨냈구나, 대단해" 하고 머리를 쓰다듬으며 칭찬해 주었다. 유키는 기쁜 듯이 한쪽 입꼬리를 올렸다가 겸연쩍은지 다시 원래의 무심해 보이는 얼굴로 되돌아왔다.

머더 목장을 뒤로할 즈음에는 날이 저물어 사방이 어둑어둑했다. 전철로 이동하느라 시간이 많이 잡아먹혔지만, 이쯤에서 헤어지기에는 딱 좋은 타이밍이었다.

"제트 코스터와 번지 점프 중에 뭐가 더 재미있었어?"

나는 오늘 하루를 정리하는 의미를 담아 유키에게 물었다. 마침 버스를 타고 머더 목장을 출발했을 때였다.

"솔직히 둘 다 재밌지는 않았지만, 번지 점프처럼 뛰어내리는 종류는 이제 안 무서울 거 같아요."

"두려움을 극복하다니 대단하다. 누가 뭐래도 네 힘으로 뛰어내렸으니까, 그것만으로도 대단한 거야."

내가 거듭 칭찬하자 유키는 힘없이 고개를 옆으로 저으면서 대답했다.

"히카리 씨가 훨씬 대단해요. 제트 코스터도 번지 점프도 전혀 안 무서워하는 것 같던데요. 혹시 무슨 비결 같은 게 있나요?"

"비결? 그런 건 딱히 없는데."

그러면서도 머리를 쥐어짜며 뒷말을 이었다.

"비결이라, 익숙해서 그런가."

"익숙하다고요?"

"응. 어릴 때부터 가라테를 해서 대련하는 게 일상이다 보니 두려움에 익숙해졌는지도 모르겠어. 과거의 경험을 떠올리며 이번에도 별거 아니다, 하고 자기 암시를 되뇌는 거지."

더구나 이미 죽은 몸이기에 아무리 번지 점프 같은 스릴 넘치는 놀이를 해봤자 겁이 날 리가 없다는 이유도 있었지만, 차마 그 말은 꺼낼 수 없었다.

"그렇구나. 가라테……."

"넌 따로 뭐 배워본 거 없어?"

"별로 없어요. ……아니, 한 번도 없어요."

"그랬구나……."

제트 코스터에서 내려 학교 행사 말고는 놀이공원에 와본 적이 없다는 말을 들었을 때와 같은 공기가 우리를 에워쌌다.

더 이상 물어봤다가는 어두운 이야기가 이어질 것 같았다. 그래서 일부러 목소리 톤을 높이며 오늘 있었던 일만 화제에 올리기로 했다.

"이야, 오늘은 정말 알찬 하루였어! 이제 유키가 하고 싶은 건 다 했지?"

알찬 하루였다는 말은 과장이 아니었다. 진심으로 그렇게 생각했다. 유키가 하고 싶다는 대로 따랐을 뿐이지만, 어느새 나도 같이 즐기고 있었다.

유키도 나처럼 만족했을 줄 알았는데, 고개를 흔쾌히 위아래로 끄덕이지 않는 걸 보니 아직 부족한 모양이었다.

"아직 하고 싶은 게 남았어?"

내 물음에 유키가 천천히 입술을 움직였다.

"……어두컴컴한 곳에 가고 싶어요."

"어두컴컴한 곳?"

또다시 예상 밖의 대답이 돌아왔다.

"산속 같은, 그런 데?"

내가 묻자 유키가 고개를 주억거렸다. 그 모습을 보고 떠오르는 일이 있었다.

"……혹시 캠핑 같은 걸 해보고 싶은 거니?"

유키는 잠시 망설이다가 살며시 고개를 끄덕였다. 진심인지 아닌지는 가늠할 수 없지만, 관심은 있는 것 같았다.

"전에 내가 트위터에 캠핑 사진을 올린 적이 있잖아. 그걸 보고 가고 싶어진 거야?"

유키는 아까처럼 한 호흡 두고서 작게 고개를 끄덕였다.

"그렇구나, 캠핑이라……."

이번에도 나쁘지 않은 제안이라고 생각했다. 지바현 남부 지역에는 캠핑을 즐길 수 있는 시설이 많이 있을뿐더러, 실제로 나는 지난주에 캠핑장에 도착하기 직전에 세상을 떠났다. 캠핑을 할 수 있다면 나로서도 마지막 이벤트를 즐기게 되는 셈이었다. 원래는 혼자 갈 예정이었지만, 지금은 혼자 가든 둘이 가든 상관없었다.

"캠핑하려면 하룻밤은 묵어야 하는데, 괜찮겠어? 부모님이 걱정하시지 않을까?"

"걱정 안 할 거예요. 그래도 일단 연락은 해둘게요."

그 대답이 오히려 더 걱정스러웠다. 아까 일도 그렇고 슬쩍슬쩍 느껴지는 유키를 둘러싼 그림자가 자꾸만 마음에 걸렸다. 이제 와서 깊이 파고들 수는 없지만.

"……으음, 어떡하지."

열여덟 살이라고 했으니 나이는 문제가 되지 않는다. 그런 의미에서 부모님이 걱정할 일은 없다고 대답했겠지. 그렇지만 우리는 오늘 처음 만난 사이인 데다, 나도 처음 만난 사람과 하룻밤을 보내게 된다…….

고민에 빠져 있던 나를 향해 유키가 확인하듯 한마디 했다.

"학교도 문제없어요."

"학교도 문제없구나……."

문제없다는 게 무슨 뜻인지 모르겠다. 그 말에는 그다지 효력이 없었지만, 캠핑을 가고 싶어 하는 유키의 의지만은 강하게 느껴졌다.

나 또한 다른 계획이 있는 것도 아니었다. 애초에 나는 만나고 싶은 사람이 한 명도 없었다. 그러니 딱히 거절할 이유가 없었다.

"그럼 한번 가볼까?"

내 말에 유키가 고개를 힘차게 끄덕였다. 말수는 적어도 자기 의지는 확실하게 표현하는 아이였다.

솔직히 말하면, 유키의 여러 가지 모습이 마음에 걸려서 승낙한 면도 없지 않았다. 산속에서 모닥불을 피워놓고 앉아 유키의 형편이 어떤지 물어봐야겠다.

"변했네……."

내가 생각해도 이상했다. 평생 타인과 거리를 두고 살아왔으면서 죽고 나서 처음 만난 사람의 내면을 궁금해하며 가까이 다가가려 하다니.

어쩌면 상대가 인터넷이라는 멀리 떨어진 세계에 존재하던 사람이기에 이제 와 이런 생각이 들었을 수도 있다.

정말이지 한 치 앞도 예상할 수 없는 게 인생이구나 싶었다.

죽은 후에 이토록 신기한 사건이 나를 기다리고 있을 줄은 꿈에도 몰랐다.

나는 캠핑하면서 하염없이 모닥불을 바라보는 시간을 제일 좋아했다. 모닥불을 지피고 싶어서 캠핑을 간다고 해도 과언이 아니었다. 모처럼 여기까지 왔으니 유키에게도 캠핑의 묘미를 실컷 맛보게 해주고 싶었다.

"왠지 좋네요."

그랬기에 유키가 내가 피운 모닥불을 쬐면서 그렇게 말했을 때는 몹시 기분이 좋았다.

"맞아. 왠지 좋아."

모닥불을 피우고 불멍을 즐기는 건 한두 번이 아니었지만, 뭐가 어떻게 좋은지 제대로 설명할 수 없었다. 굳이 말로 표현할 필요가 있을까. 이 순간 유키가 모닥불을 쬐며 도시에서 느끼지 못하는 자연의 운치를 즐길 수 있다면 그만이라고 생각했다. 그리고 그게 아니더라도 유키와 하고 싶은 말이 잔뜩 있었다.

"진짜 신기하다, 너랑 실제로 만나서 이렇게 모닥불을 바라보고 있다니. 우리가 어쩌다가 트위터에서 대화를 주고받게 됐는지 기억나?"

내가 옛이야기를 꺼내듯 운을 띄우자 유키가 재빨리 대답했다.

"TV 음악 프로그램 때문이잖아요. 거기 나왔던 가수의 노래가 너무 좋아서 둘이 같은 시간에 트위터에 글을 올렸는데, 히카리 씨가 답글을 달아줬고."

"맞다, 그랬지."

그때 그 가수의 이름이 확실히 기억났다.

"페이퍼백."

"맞아요, 「작별의 건너편」이라는 노래였어요."

노래 제목까지 듣자 그때의 광경이 선명하게 되살아나 내 머릿속에 뚜렷이 그려졌다. 나는 원래 트위터를 해도 내 쪽에서 먼저 상대방의 트윗에 적극적으로 반응하는 타입이 아니었다. 상대방이 먼저 답글을 달아주면 답변을 보내긴 했지만, 반대의 경우는 거의 없었다.

하지만 그날은 분명 내 쪽에서 먼저 유키에게 말을 걸었다. 페이퍼백의 「작별의 건너편」이라는 노래를 들었던 순간에 끓어올랐던 특별한 감정을 누군가와 공유하고 싶었다. 페이퍼백이라는 존재가 없었다면, 지금처럼 우리가 같은 시간과 공간을 공유하는 일은 없었을 것이다. 우리의 인연을 이어준 것은 분명 그 노래였다.

"……역시 이 세상에는 신기한 일이 가득하구나."

그렇게 중얼거린 건 두 명의 안내인을 떠올렸기 때문이었다. 그들은 죽은 후에 찾아가는 그 공간을 '작별의 건너편'이라고 불렀다. 어째서 이런 공통점이 생겼을까. 물론 원조는 야마구치 모모에의 히트곡「작별의 건너편」이겠지만.

"신기한 일이 가득하다고요?"

"응, 진짜 그래. 너도 어른이 되면 알 수 있을 거야."

안내인 얘기를 꺼낼 수는 없어서 얼렁뚱땅 넘겼다. 그러고는 그보다 더 궁금했던 일에 관해 물었다.

"……유키, 넌 왜 어두컴컴한 곳에 가보고 싶었어?"

캠핑을 하고 싶다는 게 첫 번째 이유가 아니라는 것은 알고 있었다. 거기다 제트 코스터와 번지 점프도 마음에 걸렸다. 벌벌 떨기만 하고 즐기지도 못할 거면서 왜 타고 싶다고 했는지 아직도 이해되지 않았다.

유키가 지금 이 자리에서 그 이유를 말해줄지 장담할 수는 없었다.

그런데 유키가 이실직고라도 하듯이 솔직히 대답해 주었다.

"……유령이 있을까 싶어서요."

이번에도 예상 밖의 대답이었다.

"유령?"

유키는 고개를 가볍게 끄덕였다.

"……설마, 유령도 무서워서?"

유키는 한 번 더 고개를 작게 끄덕였다.

여기 올 때까지 유키가 제안한 것들에는 한 가지 공통점이 있었다. 제트 코스터도 번지 점프도 전부 유키가 무서워하는 대상이었다.

"왜 무서운 곳에 가보고 싶었는데?"

오늘 하루 동안 이 질문을 던질 기회는 여러 번 있었지만, 이때 처음으로 입 밖에 내밀었다. 어쩐지 지금이라면 물어봐도 괜찮을 거라는 느낌이 들었다.

"무섭지 않다고 느끼고 싶었는지도 모르겠어요."

"무섭지 않다고 느끼고 싶었다……. 그러니까 네 말은 무서운 대상을 극복하거나 넘어서고 싶었다는 뜻이야?"

유키의 머리가 아래위로 크게 움직였다.

의외로 긍정적인 이유여서 마음이 놓였다. 그런 이유라면 좀 더 일찍 말해주길 바랄 정도였다.

"뭐야, 그런 거였어? 그럼 캠핑 말고 심령 스폿을 돌아다니는 편이 더 좋았을 걸 그랬어."

"그런 데는 너무 무서워서 못 갈지도 몰라요."

"괜찮아, 내가 옆에 있잖아……, 엇."

그렇게 말하는 도중에 불현듯 나 자신이 유령이나 다름없는 존재라는 사실이 생각났다. 그렇지만 절대로 그 말을 할 수는 없었다. 내가 죽었다는 사실이 알려지는 순간, 이 세상에서 사라지고 말 테니까…….

"왜 그래요?"

"아니, 아무것도 아냐! 그냥, 왠지, 어쩌면 유령은 우리가 생각하는 것처럼 무섭지 않을 수도 있겠다 싶어서."

적당히 넘어가고 싶었다. 뭐랄까, 내가 직접 그런 존재가 되어 보고 느낀 솔직한 감상이었다.

"그럴까요……."

"당연하지. 아무튼 긍정적인 이야기를 들어서 좋다. 그렇게 적극적으로 이겨 내려고 했다니, 넌 정말 보통 애가 아니구나."

하지만 내 말과는 반대로 유키의 얼굴은 부정적인 기운을 내뿜고 있었다.

"……그렇지도 않아요."

나는 유키가 겸손을 떤다고만 생각했다.

"아니야, 넌 멋진 애야."

"……하나도 안 멋지다니까요."

유키가 기어들어 가는 목소리로 대답했다. 정말 겸손을 떠는 게 아니었을지도 모르겠다.

그 후로는 느긋하게 시간을 보냈다. 특별히 하는 것 없이 천천히 흘러가는 시간을 느꼈다. 이게 바로 캠핑하는 낙이지.

이윽고 밤이 깊어 텐트 안에서 잠자리를 펴려는데, 유키가 나를 향해 "오늘은 고마웠습니다" 하며 아주 예의바르게 인사했다.

처음 만났을 때부터 착실하고 신중한 아이라는 인상을 받았던 터라 나는 그 말을 마음에 깊이 담아두지 않았다.

그 말이 하나의 신호였다는 것을, 나는 나중에야 깨달았다.

5

"……히카리 씨, ……히카리 씨."

낯선 목소리가 나를 깨웠다. 텐트 안에서도 바깥이 캄캄하다는 걸 알 수 있었다. 아직 아침이 밝지 않았다. 그리고 나를 깨운 목소리의 주인공은 유키가 아니었다.

바로 두 명의 안내인이었다.

"무, 무슨 일이에요?"

뭐가 뭔지 어리둥절했다. 하지만 두 사람의 심각한 표정을 보니 뭔가 좋지 않은 일이 일어났음을 직감했다.

"유키 씨가 없어졌어요."

다니구치 씨가 말했다.

"예?"

나는 주위를 한 바퀴 둘러보았다. 아니나 다를까 조금 전까지 유키가 누워 있던 자리가 텅 비어 있었다.

"어, 어디에……."

"그건 모르겠습니다. 화장실에 갔다가 금방 돌아올 줄 알고 저희도 딱히 신경을 쓰지 않았는데, 아무리 기다려도 돌아오지 않아서 히카리 씨를 깨운 겁니다. 원래 이렇게까지 개입하지는 않는데……."

다니구치 씨는 거기까지 말하다가 곤혹스러운 얼굴로 다음 말을 이었다.

"유키 씨는 아직 연소자라서 걱정입니다."

"연소자라뇨……."

예상치 못한 단어가 섞여 있었다. 머리가 혼란스러웠다. 이번에는 도키와 씨가 말을 이어 나갔다.

"유키 씨는 열여덟 살이 아니라 열다섯 살이거든요. 히카리 씨에게 거짓말을 한 겁니다."

"맙소사……."

"만난 지 얼마 안 된 히카리 씨에게 괜한 걱정을 끼치고 싶지 않아서 그랬겠죠. 인터넷으로 만난 사이이니 알아볼 방법도 없고. 히카리 씨가 알아차리지 못한 것도 무리는 아닙니다."

"유키……."

처음 만나 대화를 나눴을 때를 떠올려 보았다. 돌이켜 보니 내가 나이를 물었을 때도 유키는 부자연스럽게 뜸을 들였다. 내가 한 살만 더 먹었으면 띠동갑이라고 했을 때 난처한 표정을 지었던 것도 사실은 띠동갑보다 나이 차가 더 많이 났기 때문이었을지도 모른다.

분명 유키는 내게 걱정을 끼치고 싶지 않아서 그랬을 것이다. 그리고 나도 진짜 나이를 알았더라면, 유키를 여기까지 데려오는 짓은 하지 않았을 것이다. 이렇게 늦은 시간까지 데리고 돌아다니는 일은 없었을 것이다.

유키는 그것까지 고려해서 자신이 열여덟 살이라고 거짓말을 했을 테고.

"이런……."

만일 그랬다 치더라도 어째서 이 시간에, 이 자리에서 자취를 감췄을까.

"찾아보고 올게요!"

나는 텐트 밖으로 뛰쳐나가 달리기 시작했다. 어디로 갔을지 짚이는 데는 없었다. 손전등을 이리저리 비추며 무작정 달렸다.

"하아, 하아……."

대체 유키는 어디로 갔을까.

그리고 무슨 생각을 하고 있을까.

대화를 더 나눴어야 했다.

더 깊이 파고들었어야 했다.

"유키……."

유키는 어째서 무서운 대상들을 극복하려고 했을까.

그 이유는 끝까지 알아내지 못했다.

내가 두려움과 맞서려는 자세를 칭찬했을 때도 유키는 스스로를 대단하지도, 멋지지도 않다고 말했다.

그렇다면 그렇게 해야만 했던 더 큰 이유가 있었던 건 아닐까.

그리고 가정에도 문제가 있어 보였다.

학교생활도 원만해 보이지 않았다.

부모님은 아직 열다섯 살밖에 안 된 아이가 이 시간까지 밤거리를 배회하고 있는데 걱정하지 않았다.

유키는 평일이니까 수업이 있을 텐데 학교에 가지 않았다.

그런 문제에 관해서도 자세히 물어봐야 했던 게 아니었을까.

그렇지만 나는 그러지 않았다. 눈치챘으면서도 피했다. 평생 그런 식으로 살아왔으니까. 되도록 타인과 얽히지 않고 나만의 세계에서 살아가려고 했으니까.

하지만 이 순간까지 꼭 그래야만 했을까…….

"……윽."

죽은 후에 유키를 만나기 위해 현세로 돌아왔으면서도 살아 있을 때와 달라진 게 하나도 없다니.

이대로 24시간이 끝나 버린다면 나는 이 세상에 깨끗이 작별을 고하지 못할 것 같았다.

이런 내가 싫다.

이런 나는, 내가 꿈꾸던 강한 사람일 리가 없다.

"……유키!"

유키를 발견했다.

어두워서 또렷이 알아볼 수는 없었지만, 깎아지른 듯한 절벽에서 있는 모습이 어슴푸레 보였다.

유키는 절벽 끝에 가만히 서 있었다.

"히카리 씨……."

내 목소리를 들은 유키가 뒤를 돌아보았다.

손전등을 비추자 눈물로 뒤범벅된 얼굴이 보였다.

"유키……."

불온하게 들릴지 모르지만, 유키의 얼굴에 맺힌 눈물은 내 시선을 앗아갈 만큼 아름다웠다.

잔혹하리만치 깜깜한 어둠 속에서 반짝반짝 빛을 내뿜는 것처럼 보였다.

"왜, 이런 곳에 서 있어……?"

나는 유키의 눈을 지그시 들여다보며 말을 걸었다.

"텐트로 돌아가자. 하고 싶은 말이 있으면 내가 다 들어줄게."
진심을 담아 말해야 한다고 생각했다.
"그게 아니면, 이번에도 무서운 대상을 극복하려고 도전하는 거야? ……만약 그렇다면 이유를 알려줄래?"
이렇게 하지 않으면 지금의 유키에게 내 말이 가닿지 않을 것 같았다.
"……나에게 네 얘기를 해주지 않을래?"
이토록 감정을 실어 마음을 전하는 건 난생처음이었다.
내 눈은 내내 유키를 정면으로 응시했다.
어쩌면 미약하나마 내 진심이 전해졌을지도 모르겠다.
이윽고 유키가 입을 열었다.
"……전부, 무서웠어요."
유키는 당장이라도 사라져 버릴 듯한 목소리로 말을 자아냈다.
"……그치만, 두려움을 넘어서면 편안해질 줄 알았어요."
"……편안해질 줄 알았다?"
긍정적인 의미가 아니라는 건 유키의 얼굴을 보기만 해도 바로 알 수 있었다.
유키는 가슴속에 담아 두었던 말을 내게 털어놓기 시작했다.
"학교생활에 적응 못 하고, 가족과는 삐걱대기만 하고, 내가 있을 자리는 없고, 모든 게 다 지긋지긋했어요. 그래서 편안해지고 싫어서……. 요즘엔 죽음에 대해 자주 생각했어요. 하지만 죽는 게 무서워서 아무것도 못 하고 있었는데, 조금씩이라도 좋으니까 무서운 것들을 극복해 봐야겠다는 생각이 들었어요. 그렇게 하다 보면 결국, 죽는 것도 무섭지 않을 거라는 생각이 들었고……."

"아……."

나는 유키를 처음 만났을 때부터 어딘가 그늘이 서려 있는 듯한 느낌을 받았다.

하지만 그런 사정을 숨기고 있으리라고는 생각지 못했다.

그토록 어두운 그림자가 유키의 마음을 지배하고 있었을 줄이야…….

"……난 정말 최악이에요. 마지막 순간까지 히카리 씨한테 민폐나 끼치고. 나중에 히카리 씨가 어떤 감정을 느끼게 될지는 신경도 안 쓰고 끝까지 내 생각만 했어요. 나이를 속이고 이런 데까지 따라오기나 하고, 정말 형편없는 인간이에요. 죄송해요……."

"유키……."

이름을 부르고 나니 더 이상 입이 떨어지지 않았다.

이런 상황과 마주한 건 처음이었다.

하지만 이 순간, 제대로 말을 전해야 한다고 생각했다.

유키의 마음을 구해주고 싶었다.

유키가 그런 표정을 짓는 걸 보고 싶지 않았다.

그렇기에 간절한 마음을 말로 전달해야만 했다.

왜냐하면 지금 이곳에는 나밖에 없으니까.

유키에게 말을 건넬 수 있는 사람은 오직 나뿐이다.

"그런 건 전혀 상관없어. 나한테 민폐를 끼치지도 않았고. 난 오늘 하루가 정말 즐거웠어. 너를 만나길 참 잘했다고 생각해."

오늘은 내게 남겨진 마지막 하루다.

그 시간을 유키와 함께한 것은 손톱만큼도 후회하지 않는다.

"그러니까 죄송하다는 말은 하지 마. 난 오히려 네게 고맙다고 말하고 싶은걸. 너도 그렇게 말해 준다면 훨씬 더 기쁠 것 같아."

나는 진심으로 오늘 유키와 함께하길 잘했다고 생각했다.

"히카리 씨……."

비로소 유키의 시선이 내 눈을 말끄러미 응시했고, 내 이름을 불러 주었다.

그것만으로도 이루 말할 수 없이 기뻤다.

유키의 마음에 내 말이 가닿았다는 느낌이 들었다.

"그리고 말이야, 죽음을 두려워하는 건 당연한 거야. 누구나 다 그래. 그러니까 극복하려고 하지 마. 지금 이대로 충분해. 넌 지금 이대로 있으면 돼."

나는 그대로 한 걸음 다가서면서 말을 계속했다.

"……있잖아, 사실 넌 죽음이 두려운 게 아니라 사는 게 두려웠을 거야."

두 걸음. 유키와의 거리가 조금 더 가까워졌다.

"그러니까, 넌 살기 위해 두려움을 이겨내고 싶었을 거야. 지금까지 정말 애 많이 썼어."

세 걸음. 팔을 뻗으면 닿을 듯한 거리까지 왔다.

"무서워서 엄두를 못 냈던 제트 코스터를 타고 번지 점프도 할 수 있게 됐잖아. 눈앞에 유령이 나타나도 아무렇지 않을걸? 정말 굉장하지 않아?"

네 걸음. 유키가 바로 코앞에 서 있었다.

"……그러니까, 앞으로도 괜찮을 거야."

다섯 걸음. 유키의 손에 내 손이 닿았다.

"넌 약하지 않아. 그리고 앞으로는 훨씬 더 강해질 거고. 내가 보증할게."

여섯 걸음.

유키를 끌어안았다.

"히카리 씨……."

한 번 더 유키가 내 이름을 불렀다.

그것만으로 충분했다.

유키의 진심이 내 가슴에 와닿았으니까.

"있잖아, 유키. 넌 강해질 수 있어. 강해질 거야. 괜찮아, 넌 강인한 아이니까. 이제 괜찮아, 그렇지?"

"히카리 씨……, 으윽……."

내 품에 안긴 유키의 눈에서 굵은 눈물방울이 줄줄 흘러내렸다.

"윽, 읍, 엉엉……."

열다섯이라는 나이와 잘 어울리는 눈물이었다.

유키가 그런 얼굴을 보여준 건 그때가 처음이었다.

그리고 내가 우는 사람을 안아준 것 역시 그때가 처음이었다.

내가 타인과 마음을 나누는 순간이 찾아올 거라고는 상상도 하지 못했다.

이렇게 가까운 거리에서 타인과 얽히게 될 줄이야.

오늘 하루 동안 유키만 달라진 게 아니었다.

나도 달라졌다.

"유키……."

유키의 얼굴을 한 번 더 보고 싶었다.

그런데 바로 그때, 예상치 못한 사고가 일어났다.

"아앗."

내가 유키의 몸을 받쳐 주려고 발을 움직이다가 그만 균형을 잃고 말았다.

"유키!"

눈앞의 광경이 슬로 모션처럼 펼쳐졌다.

내 품에 안겨 있던 유키도 균형을 잃었다.

"히카리 씨……."

우리는 서로 몸이 뒤얽힌 채 절벽 아래로 떨어지고 있었다.

"윽."

두렵지 않다.

하나도 두렵지 않다.

유키는 내가 반드시 구한다.

나는 어차피 이미 죽은 사람이니까.

어떻게 되든 상관없다.

내게는 미래가 없지만, 유키에게는 미래가 있다.

그렇다고 내 몫까지 살아 달라는 말은 아니지만, 유키는 꼭 살아남기를 바랐다.

여기서 한 번 더 죽으면 어떻게 될까. 운이 좋으면 아무 일도 없었다는 듯이 다시 작별의 건너편으로 돌아갈지도 모른다.

무슨 일이 일어날지 몰라도 나는 전혀 두렵지 않았다.

내 몸이 바닥에 깔릴지언정 유키는 꼭 지켜야 한다는 생각뿐이었다.

"으악!"

그런데 바로 다음 순간, 이상한 소리와 함께 엉덩방아를 찧으며 지면 위로 떨어졌다.

"어, 엇……?"

유키도 당황했는지 소리를 질렀다. 지면이 너무 가까워서 놀란 모양이었다.

엉덩이에 통증을 느끼며 주위를 둘러보았다. 다시 보니 그곳은 깎아지른 절벽이 아니라 주위보다 겨우 1미터 정도 더 높을 뿐이었다.

"……어두운 데는 이래서 무섭다니까."

내가 어처구니없다는 듯이 한마디 하자 유키가 작게 웃었다.

나는 다음 말을 이었다.

"유키, 이제 무서운 게 싹 사라지지 않았어?"

"그러게요……."

그렇게 대답한 유키는 살짝 망설이는 듯한 표정을 지으며 이렇게 덧붙였다.

"……그렇지만, 지금은 따뜻한 이불과 폭신한 베개가 무서워졌어요."

나는 처음에는 어리둥절했지만, 이내 그 뜻을 알아차렸다.

"뭐야, '만주가 무서워('각자 무서워하는 것을 말하는 자리에서 한 남자가 자신은 만주가 무섭다고 하고 방에 들어간다. 남은 사람들은 남자를 골려 주려고 만주를 방에 던져 넣는데, 남자는 '이런 무서운 건 먹어서 없애야지'라며 모조리 먹어 버린다. 사람들은 그제야 자신들이 속았다는 것을 알았고, 남자에게 정말 무서워하는 것이 뭔지 다시 묻는다. 그러자 남자가 이번에는 '진한 차 한 잔'이라고 대답한다'는 내용의 일본 전통 만담)' 같은 소리나 하고."

여기서 그런 농담을 하다니. 내가 무심코 웃음을 터뜨리자 유키도 따라 웃었다.

우리 두 사람은 캄캄한 어둠 속에서 아무것도 무서울 게 없는 사람처럼 자지러지게 웃었다.

그런 다음 나는 유키를 바라보며 말했다.

"죽으면, 이렇게 웃을 수도 없어."

나는 유키의 머리를 쓰다듬으며 말을 계속했다.

"그리고 너 머리 좀 잘라. 기다란 앞머리가 얼굴을 가리니까 잘생긴 얼굴이 안 보이잖아."

유키는 고개를 가볍게 끄덕였고, 우리는 한 번 더 얼굴을 마주 보고 소리 높여 웃었다.

6

히카리는 다시 작별의 건너편으로 돌아왔다.

마지막 한때를 유키와 함께 보낸 히카리의 눈동자에서는 미련을 한 조각도 찾아볼 수 없었다.

히카리는 천천히 입술을 움직였다.

"……평생 혼자 힘으로 살아갈 수 있다고 믿었는데, 이런 경험도 나쁘지 않네요."

바로 앞에는 두 명의 안내인이 서 있었다. 그들은 옅은 미소를 지으며 히카리의 말에 귀를 기울였다.

"죽으면 다 끝이고, 아무것도 남지 않는다고 생각했어요."

히카리는 유백색 공간을 눈에 담았다.

"그런데 지금은 내가 그 애한테 뭔가 남겨준 것 같은 기분이 들어요."

거기까지 말하던 히카리는 다음 말을 얼버무렸다.

"근데, 왜 이럴까요……."

그러면서 자기 가슴에 손을 갖다 댔다.

"이유는 모르겠지만, 이제 와서 느닷없이 외로움이 밀려들어요……."

히카리의 뺨을 타고 한 줄기 눈물이 흘러내렸다.

어느새 히카리는 하염없이 울고 있었다.

히카리는 자신이 눈물을 흘리고 있다는 사실이 믿기지 않았다. 지금까지 한 번도 울어본 적이 없었으니까.

그런데 지금은 처음 이곳을 찾아왔을 때와 백팔십도 다른 새로운 감정이 솟아났다.

"……앗, 잠깐만요. 지금 한 말은 취소예요. 잊어 주세요."

히카리가 눈물을 닦고 억지웃음을 자아내며 말하자 가만히 듣고 있던 다니구치가 입을 열었다.

"안 됩니다. 잊을 수 없어요. 소중한 기억으로 간직하겠습니다."

"너무해요, 다니구치 씨."

"제가 잊을 수 없는 건 히카리 씨라는 사람입니다. 아마 유키 씨도 저와 같을 겁니다."

“……그런가요. 뭐, 누군가가 나를 기억해 주는 것도 나쁘지 않을 것 같네요.”

“아뇨, 나쁘지 않은 정도가 아니라 대단히 좋은 일이죠.”

다니구치가 그렇게 말하면서 서글서글하게 웃어 보이자 히카리도 저절로 따라 웃었다.

그러더니 마음을 다잡듯 자신의 뺨을 탁탁 두드리고 나서 다니구치를 향해 말했다.

“오케이, 그 말이 맞아요. 여러모로 고마웠습니다. 그럼 이제, 나는 어떻게 하면 되죠?”

“지금부터 히카리 씨는 최후의 문을 통과하게 됩니다.”

그 말과 함께 다니구치가 손가락을 딱 튕기자, 페인트로 매끈하게 칠한 듯한 흰색 문이 눈앞에 떠올랐다.

이번에는 다니구치가 한 걸음 뒤로 물러나고, 도키와가 한 걸음 앞으로 나왔다. 배턴을 이어받은 것처럼 도키와가 최후의 문에 대해 설명하기 시작했다.

“지금부터 히카리 씨는 최후의 문을 통과해 새로 태어나게 됩니다. 인연이 닿으면 이번 생에 만났던 사람들을 다시 만날 수 있을지도 모릅니다. 그렇더라도 제가 안내할 수 있는 건 여기까지입니다.”

설명을 마친 도키와의 손이 흰색 문을 가리키자 히카리는 안내에 따라 최후의 문 앞에 섰다.

“이번에는 새로운 문을 통과해서 다시 태어나는군요. 알기 쉬워서 좋네요.”

히카리는 두 안내인을 돌아보더니 방금 생각났다는 듯이 웃음기를 섞어 뒷말을 이었다.

“그건 그렇고, 내가 눈물을 흘리게 될 줄은 몰랐어요. ……최후의 순간에 약한 사람이 된 것 같아서 분하네요.”

그 말을 들은 다니구치는 고개를 좌우로 흔들면서 대답했다.

“그건 아닐 거예요.”

“아니라고요?”

다니구치는 히카리를 지그시 바라보며 말했다.

“히카리 씨는 약해진 게 아니라, 예전보다 다정해졌을 따름입니다.”

“다정해졌을 따름이다…….”

“예, 그리고 예전보다 더 강해졌을 거예요.”

“강해졌다…….”

이런 말을 듣게 되다니.

히카리는 다니구치가 한 말이 자신의 몸속으로 천천히 스며드는 것을 느꼈다.

그가 해준 말이 더없이 기뻤다.

마치 구원받은 듯한 느낌이었다.

또한 히카리는 그 말을 듣고서야 비로소 답을 찾은 듯한 기분이 들었다.

"강하다는 건, 다정한 거군요."

누군가를 지키려는 따뜻한 마음이야말로 진짜 강한 게 아닐까.

히카리는 그런 생각이 들었다.

그게 정답인지 아닌지는 모르지만.

다만, 지금은 최후의 순간에 그런 답을 떠올린 자신이 흐뭇하고 대견했다.

이윽고 히카리는 최후의 문에 손을 올렸다.

"다니구치 씨와 도키와 씨 콤비는 나쁘지 않았어요."

히카리는 마지막으로 두 사람에게 시선을 옮기며 말했다.

"아니, 굉장히 좋았어요."

히카리가 최후의 문을 열자 새하얀 빛이 그녀의 몸을 에워쌌다.

제2화

라이언 하트

1

"죽은 후에 이런 세계가 기다리고 있다고는 꿈에도 생각 못 했습니다."

작별의 건너편을 찾아온 제이는 한차례 마지막 재회에 관한 설명을 들은 뒤, 혼잣말처럼 중얼거렸다.

"놀라셨습니까?"

눈앞에 서 있던 다니구치가 물었다. 제이는 아무것도 없는 유백색 공간을 신기한 눈빛으로 둘러보고 나서 대답했다.

"예, 아주 많이."

"그다지 놀란 것처럼 보이지는 않는군요. 이곳을 찾아온 이들 중에서는 대단히 차분하신 편입니다."

"감정이 겉으로 드러나는 성격이 아니라서요. 온순한 편입니다."

"영리하다는 말도 자주 들으시죠?"

"들어보긴 했습니다. 개인차가 있으니 뭉뚱그려 말할 수는 없지만요."

제이가 겸손하게 말했다.

그러자 차분한 분위기가 한층 더 돋보였다. 다니구치는 적당한 때를 가늠하다가 처음에 했던 질문을 다시 한번 입에 올렸다.

"제이 씨, 당신이 마지막으로 만나고 싶은 사람은 누구입니까?"

"……."

그러자 방금까지 질문에 술술 대답하던 제이가 돌연 입을 다물었다. 그러고는 잠시 뜸을 들인 다음에야 유백색 공간을 올려다보며 대답했다.

"만나고 싶은 사람은 아까부터 정해져 있었습니다. 그렇지만, 아마도 그 사람들은 만나지 못할 것 같아요."

제이는 억지로 목소리를 짜냈다.

"……왜 그렇게 생각하십니까?"

다니구치의 물음에 제이는 느릿느릿 말을 이었다.

"제가 죽었다는 사실을 아는 사람은 못 만난다고 하셨죠? 그럼 제가 만나고 싶은 사람은 절대로 만나지 못할 거예요. 영리하다는 소리를 많이 들었던 머리를 이리저리 굴려 봤지만, 방법을 찾을 수가 없어요."

제이는 같이 살았던 히사카와 집안 사람들을 만나고 싶었다.

히사카와 다카노부와 히사카와 마리나 부부, 그리고 그들의 딸 히사카와 아이(愛あい). 현세에서 제이가 인연을 맺었던 이들은 이 세 사람이 전부였다.

제이는 세 사람 다 자기가 죽었다는 사실을 알고 있다는 것을 믿어 의심치 않았다. 말하자면, 제이는 이들을 만날 수 없다고 결정된 시점에서 마지막 재회의 선택지를 빼앗긴 것이다.

"확실히, 이번 경우는 상당히 어려워 보이는군요."

다니구치도 미간에 주름을 잡으며 입을 열었다. 오랫동안 이곳에서 안내인 일을 해왔기에 제이가 절박한 상황에 놓여 있다는 걸 바로 알 수 있었다.

"그렇지만, 과거에도 제이 씨처럼 만나고 싶은 사람과의 만남이 수월하지 않았던 분이 있었습니다."

다니구치는 일말의 가능성에 관한 이야기를 늘어놓았다.

"그분은 어린 아들을 만났습니다. 거듭되는 우연과 아들이 그분의 죽음을 제대로 이해하지 못했던 덕분에 가능하긴 했지만요. 제이 씨의 죽음을 모르는 사람을 만날 수 있는 것처럼, 죽음이라는 개념을 분명히 이해하지 못하는 사람도 만날 수 있습니다."

"그분 아들은 몇 살이었습니까?"

제이는 실낱같은 희망을 붙잡는 심정으로 물었다.

"네 살입니다."

"네 살이라……, 아이는 여섯 살인데……."

"……애매하네요. 어릴 때는 두 살 차이가 적지 않죠. 이런 경우는 아이 씨의 이해력뿐만 아니라 주위 사람들의 설명도 영향을 끼칩니다. 부모님이 제이 씨가 죽었다고 명확하게 전달했다면, 만나기 어려울 겁니다."

"그렇군요……."

제이의 입에서 깊은 한숨이 새어 나왔다. 조금 열려 있던 선택의 문이 닫힌 듯한 기분이었다.

"달리 만나고 싶은 사람은 없습니까?"

그때 도키와가 둘 사이에 끼어들었다. 이 상황을 바꾸어 보고 싶어서였다. 그렇지만 제이는 고개를 옆으로 세차게 흔들 뿐이었다.

"없어요. 저는 살아 있을 때 항상 그 세 사람과 함께였습니다. 그러니 어떻게 다른 사람을 만나러 갈 수 있겠어요?"

"……그 마음은 저도 잘 압니다."

그렇게 대답한 사람은 다니구치였다. 마치 자신의 일처럼 침울한 얼굴을 하고 있었다. 제이는 거울에 얼굴을 비춰 보지는 않았지만, 자신도 똑같은 표정을 짓고 있으리라 생각했다.

"만에 하나, 아주 작은 가능성이라도 남아 있다면."

제이는 말을 하다 말고 두 안내인의 얼굴로 시선을 옮기고는 흔들림 없는 의지를 담아 말을 이었다.

"저는 아이를 만나고 싶습니다. 제가 한밤중에 죽었거든요. 아저씨와 아줌마는 다음 날 아침 일찍 일어나야 했는데도 제가 숨을 거두는 순간까지 함께 있어 줬습니다. 그 두 사람은 제 죽음을 받아들이고 앞을 향해 살아가고 있을 거예요. 그런데 그 시간에 아이는 자고 있었기 때문에, 아이와는 제대로 작별 인사를 나누지 못했어요. 가능하다면, 한 번 더 아이를 만나고 싶습니다. 집에 있을 때면 아이와 늘 함께였어요. 요 몇 년 동안은 아이 곁에서 시간을 보낼 때가 제일 많았어요. 제가 죽던 시간에 아이는 잠들어 있었으니까, 세 사람 중에 만날 수 있는 가능성이 조금은 남아 있지 않을까요……."

"제이 씨와 아이 씨는 무척 친밀한 관계였나 봅니다."

"예, 우리는 집에서 항상 껌딱지처럼 붙어 있었어요. 게다가 주인아저씨가 저를 히사카와 집안의 나이트로 임명했거든요. 그래서 아이를 지키는 일이 저의 중요한 임무이기도 했습니다."

"나이트라면, 기사 말입니까?"

예상치 못한 말이 튀어나오자 도키와가 확인하듯 물었다.

"예, 맞습니다."

"과연, 제이 씨에게 잘 어울리는 호칭이군요."

도키와는 제이의 늠름한 모습을 보며 고개를 끄덕였다.

"아이 씨도 제이 씨 같은 분이 곁에 있으면 마음이 든든했을 겁니다. 거기다 금빛 털이 온몸을 덮고 있어서 한결 멋스럽습니다."

그렇게 말하는 다니구치의 시선은 제이의 특징인 금빛 털에 고정되어 있었다.

"그런 말을 들으니까 낯간지럽지만, 그래도 고맙습니다. 이 금빛 털은 제 자랑이거든요. 안내인님의 백발도 아주 멋지십니다."

제이에게 칭찬을 받은 다니구치는 자신의 머리를 쓱쓱 쓰다듬었다.

"고맙습니다. 상대방을 배려하는 말까지 할 수 있다니, 참 진중하고 근사한 분이군요."

다니구치가 싱긋 웃으며 말을 받았다. 그러더니 화제를 원래대로 되돌렸다.

"제이 씨가 말씀하셨다시피, 그 세 사람 중에서 만날 가능성이 조금이라도 남아 있는 사람은 아이 씨입니다. 부모님이 사실대로 말해주지 않았다면 만날 가능성이 좀 더 높아질 것 같은데……."

"그러게요. 얼마 안 되는 그 가능성을 믿어보고 싶습니다."

제이의 얼굴에 희미하게나마 빛이 떠올랐다.

그때 다니구치가 송구스럽다는 표정을 지었다.

"그렇지만, 그건 어디까지나 저의 억측에 지나지 않습니다. 명

색이 안내인인데, 제이 씨에게 힘이 되어주지 못해 죄송합니다."

수심이 깃든 다니구치의 얼굴을 보며 제이가 온화한 목소리로 말을 건넸다.

"아니에요, 이렇게 말벗이 되어 주기만 해도 충분합니다. 저는 이런 일이 처음이라, 정말 값진 경험이었습니다."

"그렇게 말씀해 주시니 조금이나마 마음이 놓입니다. 제이 씨는 기사인데다 신사시군요. 저도 본받아야겠습니다. 그리고 가능한 한 제이 씨가 근사한 마지막 재회를 할 수 있기를 빌겠습니다. 저희가 할 수 있는 일이 있으면 뭐든지 도와드릴게요."

제이는 그 말을 듣고 고개를 끄덕끄덕했다.

"고맙습니다. 16년이라는 천수를 누린 몸이기에 너무 많은 걸 바라지는 않지만, 마지막 순간을 멋지게 장식할 수 있다면 그보다 더 기쁜 일은 없을 겁니다."

"예, 저도 진심으로 그렇게 되길 바랍니다. 그럼……."

다니구치는 등을 꼿꼿이 펴고 손가락을 시원스레 튕겼다.

그러자 눈앞에 나무로 된 문이 나타났다.

제이는 묵묵히 그 문 앞에 가서 자리를 잡았다.

이번에는 도키와가 마지막 재회에 관한 규칙을 설명했다.

"이 문을 통과하면 현세로 돌아갑니다. 제한 시간은 24시간이고, 제이 씨가 죽었다는 사실을 알고 있는 사람을 만나게 되면 그 순간 바로 현세에서 모습이 사라집니다. 아시겠죠?"

"예, 머리에 똑똑히 새겨 넣었습니다. 제가 이래 봬도 영리한 골든리트리버거든요."

제이는 꼬리를 살래살래 흔들었다.

"딱 봐도 영리해 보입니다. 그럼 잘 다녀오세요."

도키와가 호위라도 하듯 문을 열어 주었다.

"고맙습니다, 안내인님. 잘 다녀올게요."

제이는 인사 대신 꼬리를 한 번 더 흔들고 금빛 털을 휘날리며 나무로 된 문을 통과했다.

2

눈을 뜨니 공원이었다. 에도강에서 가까운 공원. 여러 번 산책하러 왔던 곳이었다.

내 머리 위에서는 잎사귀가 너울거리고 있었다. 금목서다. 가을에 꽃을 피우는 나무니까, 아직 한참 멀었다. 내가 있는 자리는 금목서 밑동 언저리였다.

따사롭고 기분 좋은 날씨였다. 하루 동안만 현세로 돌아왔다는 기이한 사건을 잊어버릴 것만 같았다.

정오를 지났을까, 햇살에 눈이 부셨지만 요 며칠 동안의 불볕더위는 한층 사그라진 것 같았다.

산책하기 참 좋은 날씨였다. 아저씨와 아줌마, 그리고 아이와 함께 이 공원에 왔던 때를 떠올려 보았다.

길가에 벚꽃이 활짝 피어 있던 봄.

정글짐 너머에 소나기구름이 걸려 있던 여름.

미끄럼틀 밑에 낙엽이 차곡차곡 포개지던 가을.

시소 위에 눈이 살포시 쌓여 있던 겨울.

추억 속의 경치는 각양각색이지만, 모든 추억의 중심에는 활짝 웃는 아이가 있었다.

지금 나는 아이와 한 번 더 만나기 위해 현세로 되돌아왔다.

자, 이제 어떻게 하면 좋을까. 일단은 집으로 가는 게 제일 좋을 것 같은데…….

"앗."

그런 생각에 잠겨 있는데, 바로 앞에서 목소리가 날아들었다.

목소리의 주인은 어린 여자아이였다.

하지만 아이는 아니었다. 내가 한 번도 만난 적 없는 여자아이였다.

"멍멍이다!"

내가 신기했는지 여자아이는 또다시 소리를 질렀다. 그 소리에 반응하듯 아이의 엄마인 듯한 여자까지 가까이 다가왔다.

"어머나, 진짜네. 왜 이런 곳에 혼자 있지?"

그러면서 내 얼굴을 빤히 쳐다보았다. 그 순간, 나는 상황을 파악했다.

어쩌면 별로 좋지 않은 상황일지도 모른다.

나 같은 골든리트리버가 주인도 없이 공원에 혼자 있는 건 그리 흔한 일이 아니니까. 어디서 도망쳐 왔다고 생각하고 신고라도 하면 어쩌지…….

"주인은 안 보이는데, 어떡하지……."

여자는 그렇게 중얼거리면서 스마트폰을 꺼냈다.

이런, 큰일 났다.

내 예감이 맞았다.

여자가 스마트폰을 조작하기 전에 내가 먼저 그 자리를 떠났다. "앗" 하는 여자의 외침이 한차례 들려왔지만, 되돌아갈 수는 없었다.

분명 어딘가에 연락할 셈이었을 테지. 하마터면 큰일 날 뻔했다. 힘든 여정이 시작되었다. 어쩌면 내 마지막 재회는 예상보다 훨씬 더 고달플지도 모르겠다.

나는 힘차게 다리를 움직이면서 아이와 재회하는 순간까지 내가 해결해야 할 문제들에 관해 생각했다.

1. 아이에게 내가 죽었다는 사실을 알려서는 안 된다.
2. 내 죽음을 확실히 알고 있는 아저씨와 아줌마와는 만나면 안 된다.

3. 아저씨와 아줌마뿐 아니라 사람은 되도록 마주치지 말아야 한다.

1번과 2번은 어느 정도 예상했다. 그렇지만 3번은 현세로 돌아오고 난 뒤에야 새삼 깨달았다.

요즘은 길에서 떠돌이 개와 마주칠 일이 거의 없었다. 더구나 주인 없이 돌아다니는 골든리트리버는 나도 본 적이 없다. 이런 상황에서 내가 혼자 이리저리 나다니면 100퍼센트 신고당하겠지. 혹시라도 그런 일이 생기면 마지막 재회의 기회가 날아가 버린다.

나는 안간힘을 다해 계속 달렸다. 지금껏 멀리 달아나기 위해 달려본 적은 한 번도 없었다. 달리면서 힐끔 곁눈질했더니 담벼락에 앉아 늘어지게 하품하는 길고양이의 모습이 눈에 들어왔다.

아아, 고양이는 느긋해서 좋겠다. 고양이들은 이리저리 마구 돌아다녀도 신고당할 일이 없다. 제멋대로 자유롭게 살아가는 녀석들이다.

그렇지만 나는 성격상 지나치게 자유로운 생활이 오히려 스트레스가 될 수도 있으므로 그리 간단하지가 않다.

그런 생각을 하는 사이, 나는 공원에서 멀리 떨어진 곳까지 와버렸다.

여기까지 왔으니까 괜찮겠지. 숨은 차지 않았다. 오랜만에 달렸더니 기분이 몹시 상쾌했다. 비록 하루 동안이지만 되살아났다기보다 젊음을 되찾은 듯한 느낌이었다.

내가 다다른 곳은 주택가였다. 여기도 낯익은 곳이었다. 나는 무의식적으로 공원에서 집까지 이어지는 익숙한 산책로를 가로질러 왔다.

바로 그때, 앞쪽에서 또다시 여자아이의 목소리가 들렸다.

"오늘 점심시간에 뭐 했어?"

아까 만났던 여자아이는 아니었다.

"난 외발자전거 탔어!"

여자아이 두 명이 서로 말을 주고받고 있었다. 밝고 천진난만한 목소리. 내 존재는 전혀 알아차리지 못한 눈치였다. 그러니 서둘러 이곳을 떠날 필요는 없었다.

아니, 실은 어떤 사실을 알아 버렸기에 이곳을 떠날 수 없었다.

내 눈앞에서 흔들리는 핑크색, 하늘색, 빨간색 책가방.

그중에 빨간색 책가방을 멘 여자아이는 아직 한마디도 하지 않았다. 하지만 나는 그 아이가 누구인지 잘 알고 있었다.

"아이, 넌 뭐 했어?"

아이였다.

그 옆얼굴은 틀림없이 아이였다. 노란색 모자 밖으로 삐져나온 짧은 머리카락과 책가방에 매달린 채 요리조리 흔들리는 양모 펠트 열쇠고리. 그건 아이가 나를 본떠서 만든 골든리트리버 모양의 열쇠고리였다. 그 열쇠고리가 아이의 책가방이라는 표시였다.

이렇게 일찍 만날 줄은 몰랐는데.

마음의 준비가 안 된 건 아니었다. 단지 내 예상보다 빨리 아이를 발견했다.

이 자리에 아저씨와 아줌마는 없었다. 아이와 마지막 재회를 하기에 다시없는 절호의 기회였다.

"……몰라."

그런데 아이가 좀 이상했다.

아이는 친구의 물음에 건성으로 대답했다.

친구는 고개를 갸웃하더니 아이의 반대쪽에 있는 여자아이에게 다시 말을 걸었다.

"오늘 우리 집 저녁 메뉴는 햄버그스테이크야."

"우아, 부럽다. 우리 집은 생선인데."

"생선도 맛있잖아. 아이네 집은?"

친구는 한 번 더 아이에게 질문을 던졌다.

이번에는 아이가 제대로 대답할 수 있을까…….

"……몰라."

아이는 조금 전과 똑같이 대답했다.

"그렇구나……."

그 모습을 본 친구는 더 이상 아이에게 말을 걸지 않았다. 당연하겠지. 그 후로 아이는 대화에 끼어들지 않고 멍하니 하늘을 올려다보며 계속 걷기만 했다.

학교에서 무슨 문제라도 있었던 걸까. 나는 살아 있을 적에도 아이의 친구 관계까지는 파악하지 못했다. 그렇지만 아이의 부모님에게 학교생활을 걱정하는 듯한 이야기를 들은 적도 없었다.

"잘 가, 아이."

"잘 가……."

친구들은 아이보다 먼저 집 앞에 도착했는지 걸음을 멈추었다. 아이는 혼자 계속 걸어갔다. 친구들은 작아지는 아이의 뒷모습을 가만히 지켜보았다. 아이의 등이 점점 더 작아졌다.

나는 가슴이 꽉 막혀왔다. 혹시라도 아이가 학교생활이나 친구 때문에 어려움을 겪고 있다면 도와주고 싶었다.

왜냐하면, 나는 아이의 기사니까. 어떤 상황에서도 나는 아이를 지켜야만 한다.

마지막 재회에 허락된 24시간을 아이를 위해 다 써버려도 상관없었다. 그편이 오히려 더 의미 있는 시간이 아닐까 싶기도 했다. 그게 바로 기사의 임무니까.

그런데 그런 내 생각을 뿌리부터 뒤흔드는 일이 일어났다.

"반려견이 죽은 후부터 아이가 힘이 없어 보여."

"맞아, 참 안됐어."

친구들이 말했다. 그 말이 내 귓가를 파고들었다.

그건 내가 가장 알고 싶지 않았던 사실이었다.

"……."

아이는 내가 죽었다는 것을 알고 있다.

첫 번째 전제 조건부터 완전히 무너지고 말았다. 안내인님이 설명해준 규칙.

'현세에서 만날 수 있는 사람은 아직 당신이 죽었다는 사실을 모르는 사람뿐입니다.'

어떻게 하면 좋을까. 현세로 돌아와서 실현하려고 했던 계획이 무산될 위기에 처했다.

이래서는 아이를 만나러 가지 못한다. 물론 아저씨와 아줌마도. 현세에서 인연을 맺었던 소중한 사람을 한 명도 만날 수 없다는 뜻이었다. 나는 이름만 번지르르한 기사일 뿐, 그 누구도 지켜줄 수 없는 게 아닐까…….

어느덧 아이의 뒷모습은 아스라이 멀어졌다. 하지만 나는 뒤따라갈 수 없었다. 사람들의 눈을 피하려고 커다란 몸집을 최대한 작게 움츠린 채로 반대 방향을 향해 터벅터벅 걷기 시작했다.

이제 나는 고양이 아니, 그보다 훨씬 더 작은 생쥐가 되고 싶어졌다.

몸집이 작아지면 그만큼 마음도 작아져서 아픔이 줄어들 것 같았다.

하지만, 그렇게 되지는 않을 것이다.

집채만큼 큰 동물도, 손톱만큼 작은 동물도, 마음의 크기는 모두 같을 테니까.

3

내가 사람들의 눈을 피해 도착한 곳은 에도강 둔치였다.

주말에 산책하러 자주 오던 곳이다. 하지만 지금은 추억 속의 지난날과 달리 나 혼자 이 자리에 있었다. 다행인지 불행인지 이쪽에는 인적이 뜸했다.

나는 교각 방향으로 걸음을 옮겼다. 조용한 곳에 누워 쉬고 싶었다.

몸은 피곤하지 않았지만, 마음이 아팠다. 내가 마음이 아픈 까닭은 마지막 재회를 할 수 있다는 희망이 사라졌기 때문만은 아니었다.

슬픔에 잠긴 아이의 얼굴을 봤기 때문이다.

내가 아이의 웃는 얼굴을 빼앗고 말았다.

나는 이제 어쩌면 좋단 말인가……. 눈을 감고 머리를 쥐어짰다. 생각하면 할수록 마음 깊은 곳이 아파왔다.

그러고 보니 나는 예전에도 여기 에도강 둔치에서 아이의 슬픈 얼굴을 본 적이 있었다.

1년 반쯤 전이었다.

아이는 장난감을 가지고 놀다가 제자리에 갖다 놓지 않은 탓에 아줌마에게 잔소리를 들었다. 그런데 그런 일이 한두 번으로 끝나지 않고 일주일이나 계속되는 바람에 그날은 호되게 혼이 났다.

사건은 그 후에 일어났다. 자기 방에 틀어박혀 있는 줄 알았던 아이가 식구들 몰래 집을 나간 것이다.

아저씨와 아줌마는 물론이고 나도 머릿속이 새하얘졌다.

사태를 파악한 순간, 누가 먼저랄 것 없이 모두 집 밖으로 뛰쳐나갔다.

밖에 나가자마자 빗방울이 사정없이 코끝을 때렸다. 조금 전까지는 맑았는데, 운이 나쁘게도 날씨가 급변해서 비가 내리기 시작했다.

아이가 혼자 비를 맞으며 울고 있지는 않을까.

나는 애가 타서 입안이 바짝바짝 마르는 것 같았다. 불안해서 가만히 있을 수가 없었다.

정신을 차렸을 때는 나를 말리는 아저씨의 팔을 뿌리치고 혼자 달리고 있었다.

아이, 어딨니…….

코를 킁킁거리며 아이의 냄새를 더듬었다.

사방팔방 뛰어다니면서 아이의 흔적을 찾았다.

훼방을 놓듯 빗방울이 아이의 냄새를 지웠지만, 그래도 나는 최선을 다해 코끝에 신경을 집중했다.

그랬더니 희미하게나마 아이 냄새가 났다.

아이.

나는 달렸다.

냄새가 나는 방향을 향해 힘차게 달렸다.

지금 돌이켜 보니 실은 아이 냄새 같은 건 나지 않았을지도 모르겠다.

비도 추적추적 내리고 거리도 가깝지 않은 상황에서 아이의 냄새를 맡는다는 건 거의 불가능에 가까웠다.

하지만 그날 나는 확실히 느꼈다. 어떤 존재가 우리를 만나게 해 주었던 것 같다.

내가 다다른 곳은 에도강 둔치였다. 이따금 아이와 같이 오던 곳이었다. 아이의 모습은 보이지 않았다. 교각 근처까지 가봤더니 거기에 아이가 있었다.

"제이……."

울어서 눈이 벌겋게 부푼 아이의 얼굴이 눈앞에 나타났다.

여태 혼자서 계속 울고 있었던 모양이었다.

"제이……!"

아이는 내 이름을 한 번 더 부르면서 내게로 달려왔다.

"제이, 나 너무 무서웠어……. 나 혼자……."

아이는 내 몸을 꼭 끌어안았다. 아이의 차디찬 손은 그때까지도 떨림이 멈추지 않았다.

아이의 눈동자에서 눈물이 흘러넘쳤다.

지금까지 내내 울고 있었을 텐데, 아까보다 더 큰 소리로 펑펑 울었다.

하늘에서 떨어지는 빗방울보다 많은 눈물방울이 아이의 눈에서 흘러내리는 것 같았다.

이럴 때 따뜻한 위로의 말을 건넬 수 있다면 얼마나 좋을까. 하지만 안타깝게도 내 입에서는 그런 말이 나오지 않았다.

내가 할 수 있는 건 한 가지뿐이었다.

그저 아이 옆에 있어주는 것.

지금의 내가 할 수 있는 일은 그게 전부였다.

꼭 달라붙어서 아이의 몸이 비에 젖지 않게 해줘야지. 자그마한 아이의 몸이 추위에 떨지 않게 해줘야지.

"제이, 고마워……."

아이는 더 이상 울지 않았다.

울기는커녕 집에 있을 때처럼 편안한 표정을 짓고 있었다.

그리고 아이가 울음을 그친 것과 거의 동시에 비가 그쳤다.

여름날의 소나기였나 보다. 갑자기 하늘이 말갛게 개더니 햇살이 쏟아졌다.

"예쁘다, 제이……."

아이는 아직 눈물 자국이 묻은 채로 하늘을 우러러보며 중얼거렸다.

그러더니 조금 전까지 엉엉 울었다는 사실이 믿기지 않을 정도로 함박웃음을 머금고 말했다.

"하루 종일 맑은 날보다 비가 내린 뒤의 하늘이 더 예뻐. 투명해 보일 만큼."

아이의 말에 수긍이 갔다.

나는 아이가 알려주기 전까지는 생각도 하지 못했다. 비가 하늘을 깨끗이 씻겨줬기 때문일까. 투명한 필터를 끼운 것처럼 온 세상이 훨씬 더 반짝거리는 것 같았다.

돌이켜 보면 예전부터 아이는 나와 아저씨와 아줌마가 의식하지 못하고 그냥 지나치는 것들을 잘 알아차렸다.

아이가 무언가를 알아낼 때마다 놀라움과 행복감을 동시에 느낄 수 있었다. 아이가 알아낸 것 중에 근사하지 않은 건 하나도 없었다.

얼마 전에도 이렇게 비가 내리던 날에 아이가 "비는 싫지만, 좋아하는 장화와 우산이 있으면 비 오는 날이 조금은 즐거워져"라고 말했다. 그 말을 들은 후부터 나도 비 오는 날이 조금 더 좋아졌다.

아이는 아직 어린아이지만, 내게 많은 것을 가르쳐 주었다.

나는 아이가 여러 가지 근사한 것들을 가르쳐줄 때마다 보여주는 웃는 얼굴이 좋았다.

"아이! 아이!"

"아이!"

그때 손을 흔들며 이쪽으로 다가오는 아저씨와 아줌마의 모습이 보였다.

"……잘못했어요, 아빠, 엄마. 그치만, 제이가 나를 지켜줬어."

아저씨와 아줌마가 가까이 오자 아이는 그렇게 말했다.

그 말을 들은 아저씨가 나를 바라보며 말했다.

"제이가 우리 집의 나이트구나. 고맙다. 앞으로도 무슨 일이 있으면 아이를 지켜줘야 한다."

아저씨가 내 머리를 살살 어루만져 주었고, 나는 꼬리를 휙휙 흔들어 대답했다.

그러고 나서 다 같이 집까지 걸어갔다.

물론 내 자리는 아이의 옆이었다.

그날 집으로 돌아오던 그 길은 무엇과도 바꿀 수 없는 행복한 시간이었다.

"으아, 간 떨어질 뻔했네!"

나도 깜짝 놀랐다. 갈팡질팡하다가 이 교각까지 와서 깜빡 잠이 들었던 나는 그 소리를 듣고 눈을 떴다.

어둑어둑 땅거미가 지고 있었다.

어스레한 하늘을 등지고 웬 사내가 서 있었다. 쭈글쭈글한 셔츠, 흙투성이 바지, 아무렇게나 마구 자란 턱수염.

"너, 들개냐?"

사내가 나를 향해 물었다.

아뇨, 난 들개가 아니에요. 그렇게 말하고 싶었지만 말이 나오지 않아 가만히 있을 수밖에 없었다.

"아니야, 꽤 비싸 보인단 말이지. 너 왜 여기 있어?"

사내는 혼잣말을 하는 것 같기도 하고, 나를 빤히 쳐다보면서 말을 거는 것 같기도 했다.

나는 우선 조용히 지켜보았다. 사내는 어딘가로 연락할 듯싶지도, 내게 적개심을 보이는 것 같지도 않았다. 다만, 이 자리를 떠날 생각이 없는지 좀처럼 움직일 기미를 보이지 않았다.

도대체 이 사내는 뭘 하려고 여기에 왔을까. 이 상황이 계속 이어진다면, 나는 만약을 위해 재빨리 이곳을 떠나야 한다.

"자고 있는데 깨워서 미안하지만, 여긴 내 잠자리야."

그 말을 듣고 바로 알아차렸다. 노숙자였구나. 주변을 보니 골판지와 비닐 시트로 대충 만든 집 모양을 하고 있었다.

그렇다면, 내가 불청객이잖아.

"요즘도 떠돌이 개가 다 있네."

아니, 그러니까 난 떠돌이 개가 아니라고요.

나는 히사카와 집안의 가족이자 엄연히 주인이 있는 몸이다.

"하긴, 나도 길에서 살고 있으니까 우린 동료구나. 하하하."

사내는 혼자 웃고 혼자 결론을 내렸다.

종잡을 수 없는 사람이지만, 그렇다고 나쁜 사람은 아닌 것 같았다. 지금까지는 신고할 낌새도 보이지 않았다.

그렇지만 이대로 여기 있을 수는 없었다. 남의 잠자리를 어지럽히다니, 민폐가 이만저만이 아니다. 다른 데로 가야 했다. 그렇지만 어디로 가야 하지…….

그런 생각에 잠겨 교각 근처를 떠나려는 찰나, 사내가 다시 말을 걸어왔다.

"너, 갈 데가 없지?"

그 말에 걸음이 딱 멈췄다.

사내의 말이 맞았다. 지금의 나는 갈 곳도, 돌아갈 집도 없었다. 이러고 있는 사이에 어둑어둑하던 하늘이 완벽한 검은색으로 물들었다.

나는 이제 어디로 가야 할지 판단이 서지 않았다.

아이네 집으로 돌아갈 수도 없고…….

"나랑 똑같네."

사내가 입을 뗐다.

혹시 내 마음을 읽은 걸까? 설마, 그런 일은 있을 수 없다.

아무튼 똑같은 건 사실이었다.

"너, 이름이 뭐냐?"

사내는 진지하게 내게 말을 걸었다. 나를 사람이라고 생각하고 말을 거는 것 같았다.

별난 사람이라고 생각했다. 나는 옛날 일이 떠올랐다. 아저씨와 함께 공원에 산책하러 갔던 날이었다. 그 공원에도 이 사내처럼 내게 계속 말을 걸어주던 할아버지가 있었다. 그 할아버지는 몇 년 전에 아내를 여의었고, 그 후로는 말동무가 되어주는 사람이 없었다. 평상시에 이야기할 사람이 없다 보니 잠깐이라도 대화할 기회가 생기면 너무 기쁜 나머지 상대가 동물이라도 개의치 않고 먼저 말을 걸게 되었다고 했다. 혹시 이 사내도 그런 게 아닐까. 평소에 대화할 상대가 별로 없는 걸까.

내 이름은 제이예요.

지금의 나는 작별의 건너편에 있을 때처럼 말을 할 수 없었다.

그래서 목소리를 내는 대신에 한동안 남자를 물끄러미 쳐다보았다.

"뭐, 개니까 멍멍이라고 하면 되겠지."

……지나치게 일차원적인 이름이잖아요.

말이라는 건 무척 중요한 거구나. 하지만 내게는 제이라는 진짜 이름이 있으니까 지금은 멍멍이라고 부르든, 뭐라고 부르든 상관없다.

"내 이름은 린다란다. 어때, 근사한 이름이지?"

나를 멍멍이라고 부르겠다고 했을 때는 작명 센스가 형편없는 사람이다 싶었는데, 자기 이름은 의외로 상당히 세련됐다. 이국적인 분위기를 물씬 풍기는 린다라는 이름은 사내의 외모와는 전혀 어울리지 않았지만, 그의 느긋한 말투와는 잘 어울렸다.

"어이, 너 배 안 고프냐?"

린다가 나를 보고 물었다.

나는 배는 고프지 않았다. 현세로 돌아온 뒤로 배가 고프다는 감각은 거의 느끼지 못했다. 그런 내 의사를 전달하기 위해 "컹!" 하고 한 번 짖었다. 원활한 의사소통을 위해 목청을 높였다.

"그래, 배가 많이 고팠구나! 그럼 같이 가자."

……의사소통은 실패로 끝났다.

소리의 크기가 문제가 아니라 말로 제대로 전달하는 게 중요한 것 같았다. 인간과의 의사소통은 쉽지 않았다.

"고, 고, 밥 먹으러 레츠 고!"

린다는 영어를 섞어가며 쾌활하게 외치더니 오른손을 들고 나에게 오라고 손짓하며 걸음을 옮기기 시작했다. 어쩌면 실제로는 린다라는 이름에 걸맞게 영어를 잘하는 게 아닐까.

그런데 어째서일까?

아까보다 마음이 조금 덜 아픈 것 같았다.

4

"자, 멍멍아. 이거 먹어."

슈퍼에 들렀다가 역 앞에 있는 광장까지 왔다. 린다가 슈퍼에서 산 크림빵을 내 쪽으로 밀어 주었다. 집에서는 사료와 육포만 먹었기 때문에 크림빵은 처음이었다. 코를 벌름거렸더니 좋은 냄새가 났다. 크림빵 안에 달콤한 냄새가 숨어 있는 것 같았다.

"잘 먹겠습니다."

린다는 저녁밥으로 다시마가 들어 있는 삼각김밥을 샀다. 그것도 반값 세일 스티커가 붙은 것 하나만 샀다. 내게 준 크림빵은 세일 상품이 아니었다.

"반값에 판다고 맛이 반으로 줄어드는 건 아니니까."

린다는 묻지도 않았는데 그렇게 말하고는 씩 웃으며 김이 들러

붙은 이를 드러냈다.

나는 머뭇거리다가 호기심을 억누르지 못하고 크림빵을 덥석 베어 물었다.

맛있었다.

무엇보다 부드러운 식감이 마음에 들었다. 지금까지 이런 음식을 한 번도 먹어본 적이 없어서 더 놀랐을 수도 있다. 처음 느껴본 부드러운 식감 때문에 기분이 좋아졌다. 빵은 이렇게 부드럽고 맛있는 음식이었구나.

"잘 먹었습니다."

밥을 먹기 시작한 지 얼마 되지 않았는데 린다는 벌써 다 먹은 모양이었다. 무리도 아니었다. 저녁밥으로 삼각김밥 한 개가 고작이었으니까.

"아, 배부르게 잘 먹었다. 넌 그거 남기지 말고 다 먹어야 한다."

전혀 배가 부를 것 같지 않았지만, 린다가 그렇게 말했기 때문에 나도 반쯤 남아 있던 크림빵을 깨끗이 먹어 치웠다. 그 모습을 본 린다는 자기가 빵을 먹은 것도 아닌데 만족스러운 표정을 지었다.

"왠지 오늘 먹은 삼각김밥은 특별히 더 맛있는 것 같아. 양념을 바꿨나."

린다는 또다시 껄껄 웃으면서 떠들었다. 다시마를 넣은 삼각김밥은 물론이고 삼각김밥이라는 걸 한 번도 먹어본 적이 없는 나는 그 까닭을 알지 못했다. 그렇지만 그 삼각김밥도 내가 먹은 크림빵처럼 맛있었다는 건 알 수 있었다.

"휴……."

그 후 린다는 벤치에 몸을 기댄 채 한 마디도 하지 않고 역 앞을 바쁘게 오가는 행인들을 멍하니 바라봤다. 집을 향해 발길을 재촉하는 사람이 대부분이었다.

지금쯤 아이도 집에서 저녁을 먹고 있을까?

친구에게 오늘 저녁 메뉴가 뭔지 말해주지 않아서 나도 알 길이 없었다. 그런 생각에 빠져 있던 나는 같이 산책하다가 아이가 했던 말이 불쑥 떠올랐다.

"난 저녁 무렵에 산책하는 게 좋아."

아이는 또 새로운 뭔가를 알아낸 것 같았다.

"저녁 무렵에 산책하면 이 집 저 집에서 저녁밥 냄새가 나거든. 카레 냄새도 나고, 생선 냄새도 나고. 그런 냄새를 맡으면 나까지 행복해지는 것 같아. 그러니까, 저녁밥 냄새는 행복의 냄새야."

나는 그때 처음으로 '행복의 냄새'라는 말을 들었다.

나는 그 말이 맞다고 생각했다. 행복의 냄새는 어떤 특별한 것 하나가 아니라, 여러 집에서 나는 저녁밥 냄새였다. 그건 아마도 그 가족에게서 뿜어져 나오는 분위기가 저녁밥 냄새를 통해 퍼져

나가기 때문이 아닐까. 그 모습을 머릿속에 떠올리자 나까지 행복해졌다.

나는 지금 아이네 집에서 어떤 냄새가 흘러나올지 알지 못한다. 어쩌면 아줌마는 입맛이 없는 아이 때문에 메뉴를 정하느라 골머리를 앓을지도 모른다.

그렇지만 아무리 입맛이 없어도 이 크림빵 하나쯤은 먹었으면 좋겠다. 아이는 분명 이 맛을 좋아할 테니까. 희미하게나마 크림빵 안에 행복의 냄새가 들어 있는 것 같았다.

"어머, 엄청나게 큰 개다!"

그때 옆에서 통통 튀는 밝은 목소리가 들려왔다.

"진짜네, 리트리버 같은데?"

눈앞에 젊은 커플 한 쌍이 나타났다. 그들은 생글생글 웃으며 내 앞으로 다가왔다.

"목줄도 안 하고 있네. 어떻게 된 거지?"

긴 머리의 여자가 내 목을 어루만지면서 말했다.

"이런 개가 주인이 없을 리도 없고."

갈색 머리 남자는 내 머리를 쓰다듬었다. 솔직히 말해서 기분이 나쁘지는 않았다. 원래 개는 사람의 손길이 몸에 닿는 것을 좋아한다. 그렇기 때문에 내 몸을 만진다고 투정 부릴 생각은 없었다.

"엣."

그런데 돌연 두 사람이 손을 멈췄다. 두 사람은 거의 동시에 내 옆에 있던 린다의 존재를 알아차린 모양이었다. 지금까지는 린다가 안 보였던 걸까. 린다가 바로 코앞에 있는데도 두 사람 눈에는 나만 보였나 보다.

그러더니 조금 전과는 백팔십도 달라진 태도로 내게서 슬그머니 손을 뗐다.

"……가자."

"……응. 잘 있어, 멍멍아."

커플은 서둘러 그 자리를 떠났다. 남자가 나를 쓰다듬었던 오른손을 바지에 싹싹 문지르는 모습이 내 시야에 잡혔다.

"……우리도 그만 가자, 멍멍아."

린다는 한없이 슬픈 표정으로 벤치에서 일어섰다.

나는 어떤 표정을 짓고 있을까.

감정이 겉으로 드러나는 성격이 아니니까 린다처럼 애처로워 보이지는 않겠지.

그렇지만 내 마음은 분명 린다와 똑같은 표정을 하고 있을 것이다.

"노숙 생활 초기에는 사람이 거의 지나다니지 않는 곳으로만 다녔어."

강변 둔치에 있는 잠자리로 돌아온 후에 린다가 말을 쏟아내기 시작했다.

"왜냐하면, 내 꼴을 누가 볼까 봐 무서웠거든. 예전 지인들한테 들키면 끝장이다 싶었지. 그 정도 자존심은 남아 있었어, 초기에는."

어떤 사정을 설명하는 눈치였다. 나는 얌전하게 앉아 린다의 눈동자에 내 시선을 맞췄다.

"……그랬더니 외롭더라고."

린다는 눈을 가늘게 뜨고 내 눈을 마주 보며 말을 이었다.

"사람들이 나를 피해 멀찍이 돌아가고 아무도 내게 말을 걸어 주지 않아도, 누군가 곁에 있어 주기만 하면 외로움을 잊을 수 있거든. 생판 남이라도 좋으니 누가 옆에 있으면 좋겠다고 바랄 때가 있어."

그런 기분은 나도 잘 알고 있었다. 외로움이란 얼어붙을 듯이 추운 밤에 발가벗은 채로 혼자 서 있는 기분이다. 아마도 마음은 그런 고통을 오래 견디지 못할 것이다.

"어이, 멍멍아, 너도 그런 쓸쓸한 표정 짓지 말고."

린다가 나를 쳐다보았다.

"……여기서 처음 봤을 때와 똑같은 표정이네."

내가 쓸쓸해 보이는 표정을 짓고 있었다고? 린다가 그렇게 말한다면 그럴지도 모르겠다.

그때 나는 아이를 만나러 가는 게 불가능하다는 사실을 알았으니까.

이제 아이의 웃는 얼굴을 볼 수 없다.

내가 제일 좋아하는 환하게 빛나는 아이의 미소.

머릿속으로 아이의 웃는 얼굴을 그리면 아이가 노래하는 모습이 같이 떠올랐다.

아이는 노래 부르는 걸 좋아했다. 그리고 나는 아이의 노랫소리를 듣는 걸 좋아했다. 아이는 내 옆으로 와서 「알파벳 송」을 불렀다.

영어 교실에 다니기 시작한 후로 매일같이 그 노래를 불렀다.

아이는 다섯 살 때부터 영어 교실에 다녔다. 영어로 말할 때는 평소보다 큰 목소리로 "헬로 제이, 하우 아 유?" 하며 아직 서툰 발음을 입 밖으로 밀어내던 모습을 지금도 똑똑히 기억한다. 그리고 나와 같이 거실 소파 위에서 뒹굴뒹굴할 때면 자장가처럼 "에이, 비, 시, 디……" 하고 「알파벳 송」을 불렀다.

가끔은 아침부터 활기차게 춤까지 곁들여서 노래를 부르기도 했다. 눈에 콩깍지가 씌어서 착각하는 게 아니라 진짜 아이돌 뺨칠 만큼 너무너무 귀여웠다.

아이가 영어 교실에 가는 날을 손꼽아 기다리듯 나도 그날을 기대했다. 왜냐하면 영어 교실 수업이 끝나면 아저씨 아줌마와 같이 아이를 데리러 갔기 때문이다. 아이는 수업이 끝나기 무섭게 내게로 달려와 나를 꼭 안아 주었다.

아이의 웃는 얼굴과 노랫소리.

둘 다 내가 제일 좋아하는 것인데…….

지금은 둘 다 아득히 멀어졌다.

아이의 「알파벳 송」이 듣고 싶었다.

아이가 왜 그렇게 그 노래를 좋아하고 자주 불렀는지는 모르지만, 지금 내게 그 노래를 불러 주기를 간절히 바랐다.

아이의 노랫소리를 들으면 지금의 이 외로움이 싹 날아가 버릴 것 같았다.

하지만 내 소원이 이루어질 리는 없다.

이미 모든 희망이 사라졌으니까.

나는 지금도 그때처럼 슬픔에 휩싸인 듯한 기분이 들었다.

"아아, 오늘은 제법 쌀쌀하구나. 장마도 끝났는데 말이지."

린다가 별이 하나도 보이지 않는 하늘을 향해 구시렁거렸다. 어느덧 여름이 성큼 다가왔다.

하지만 오늘 밤은 바람이 서늘하게 느껴졌다. 북풍이 세게 불어서일까. 아무리 내가 털옷을 입고 있다고 해도 추울 때는 춥다. 마침 여름을 맞이하여 묵은 털이 빠지고 새 털이 나는 시기였다.

"자, 그만 자자. 내일 일은 내일 생각하고."

린다는 목소리 톤을 바꾸어 밝게 말하고는 이불 대신 낡아빠진 다운재킷을 돗자리 위에 깔고 잠을 청했다.

“이런, 이래도 바람이 들어오네…….”

린다는 바람을 피하려고 몸을 움츠렸다.

나는 한동안 린다의 등을 말똥말똥 쳐다보았다.

그러다가 몸을 움직였다.

“어이, 멍멍아. 왜 그래?”

나는 린다의 옆으로 가서 바짝 달라붙어 몸을 밀착하고 누웠다.

“이러면 안 돼. 나랑 붙어 있다가 더러워지면 어쩌려고.”

그런 일은 없을 테니까 괜찮아요.

“털만 봐도 아주 귀해 보이는데, 이런 데서 자게 하다니.”

맞아요, 이 금빛 털은 내 자랑이에요. 반려인들이 정성스레 빗어 줬거든요.

“아이고, 이 녀석. 어리광쟁이구나.”

아니, 그건 아니에요.

린다는 또 착각하기 시작했다.

“너 참 따뜻하구나…….”

뭐, 지금은 마음대로 착각하게 내버려 둬야겠다.

“고맙다, 멍멍아…….”

린다는 그렇게 말하더니 나를 끌어안으려는 듯 손을 포갰다.

고맙다는 말은 내가 하고 싶은 말이에요, 린다.

아까 먹었던 크림빵이 정말 맛있었거든요.

5

이튿날은 내가 먼저 잠에서 깨어났다. 린다는 아직 내 옆에서 쿨쿨 자고 있었다. 바람이 멎었다. 밖에서 잠을 자는 건 처음이었지만, 생각보다 쾌적했다. 원래부터 나는 이런 생활이 고생스럽지 않았다.

잠을 자는 동안 나는 꿈을 꿨다. 꿈속에서 아이가 「알파벳 송」을 불렀다. 내게는 자장가와 다름없는 노래였다. 나는 아이가 옆에서 그 노래를 불러줄 때 가장 마음이 편했다. 그렇기에 나는 앞으로도 잠이 들 때마다 그 모습을 떠올리게 될지도 모른다.

꿈속에 나타날 정도로 아이를 만나고 싶은 마음이 점점 더 강해졌다.

그렇지만 만나러 갈 수는 없다. 나는 어떻게 하면 좋을까.

오늘은 내게 허락된 마지막 날이다. 정확히 말하면, 마지막 반나절이다. 하룻밤이 지나도록 답을 찾지 못했다.

어?

내 시선을 붙잡은 건 우연히 린다의 주머니에서 떨어진 사진 한 장이었다. 지금보다 훨씬 젊은 양복 차림의 린다가 찍혀 있었다. 린다와 비슷한 나이대의 여자와 어린 여자아이도 같이 있었다.

혹시 린다의 가족사진인 걸까.

나는 시간 가는 줄도 모르고 사진 속에서 웃고 있는 린다의 얼굴을 물끄러미 응시했다.

"하아……, 뭐야, 네가 먼저 일어났구나."

린다는 잠에서 깨자마자 늘어지게 하품을 하면서 말했다.

그러더니 주머니에서 사진이 떨어진 걸 알아차렸다. 그리고 내가 그 사진을 뚫어져라 보고 있던 것까지도.

"좋은 사진이지?"

린다가 싱겁게 웃으면서 물었다.

하지만 그의 눈동자 안쪽에는 여전히 외로움이 어렴풋이 고여 있는 것 같았다.

"착한 아내가 내 옆에 있고, 아내를 닮은 예쁜 딸도 태어나고, 그때는 참 행복했어……."

린다의 가슴속에 고여 있던 슬픔이 밖으로 흘러나왔다.

"가족들과 허심탄회하게 대화를 나눴으면 좋았을걸. 회사에서 잘리고 난 뒤로 자포자기하는 심정으로 술독에 빠져 지냈거든. 나는 분명 가족을 위해 살아왔는데, 어느새 가정이 파괴돼 버렸더라고. 내 집만큼 마음 편한 곳이 없었는데……."

린다는 혼잣말처럼 들릴 듯 말 듯 중얼거리다가 내게 시선을 보냈다.

"멍멍아, 너도 마음 편히 지낼 수 있는 곳이 있겠지?"

내가 마음 편히 지낼 수 있는 곳…….

"혹시 돌아갈 집이 있다면, 난 네가 거기로 돌아갔으면 좋겠어."

내가 돌아갈 집…….

"왜냐하면, 그곳이 최고니까. 네가 있을 곳을 소중히 여겨야 한다. 그리고 그곳에 함께 있는 이들은 더더욱 소중히 여겨야 하고. 나중에 후회하면 늦어. 알았지, 멍멍아."

린다는 처음 만났을 때처럼 내게 대등한 시선을 보내며 말했다.

마음 편히 지낼 수 있는 곳, 내가 돌아갈 집.

그때 말소리가 들려왔다.

"어이, 하야시다! 밥 얻어 왔어!"

자리에서 일어나 목소리가 들리는 쪽으로 가봤더니 린다와 체격이 엇비슷한 사내가 서 있었다.

"엇! 하야시다가 개로 변했다!"

"난 여기 있으니까 멍청한 소리 그만해!"

린다가 가까이 다가오더니 사내를 나무랐다.

그러자 사내는 린다처럼 싱겁게 웃고 나서 "아, 다행이다" 하며 가슴을 쓸어내렸다.

"봐, 멍멍아. 내 걱정은 안 해도 돼. 너도 봤다시피 난 가족은 없지만 나와 닮은 동료가 있거든. 그래서 궁색한 이 생활도 꼭 나쁘지만은 않아. 그러니까 안심하고 여기서 나가도 돼. 나는 항상 이 부근에 있거든. 혹시라도 내가 보고 싶어지면 그때 다시 오고. 넌 똑똑하니까 내 말뜻 다 알아들었지?"

린다는 내 눈을 정면으로 바라보면서 물었다.

맞아요, 나는 똑똑해서 당신이 하는 말을 다 알아들었어요.

그래서 당신이 따뜻한 사람이라는 것도 알아요.

어제저녁에 당신을 만나지 못했다면 나는 밤새 차가운 바람과 외로움과 싸워야 했을 거예요. 후회만 하다가 마지막 하루가 끝났겠죠.

그런데 당신이 나를 살려 줬어요. 덕분에 나는 외롭지 않았어요. 당신이 곁에 있어 줬으니까요.

나는 꼬리를 한 번 흔들고 나서 걸음을 옮겼다.

"무슨 일 있으면 꼭 와! 그때는 어제보다 더 맛있는 빵을 먹게 해줄게!"

강변 둔치를 떠나 앞으로 걸어가는 나를 향해 린다가 작별 인사를 건넸다.

"어이, 멍멍아! 건강해야 한다!"

린다는 팔을 크게 흔들며 나를 배웅했다.

잘 있어요, 린다.

린다가 아니라 하야시다라고 하는 게 좋을까.

아니다, 역시 내게 당신은 린다다.

내 목숨을 살려준 소중한 은인.

린다는 내게 추운 밤에 부드러운 이불을 덮는 것보다 더 따뜻한 온기를 나눠 주었다.

고마워요, 린다.

우리의 만남과 이별에는 '안녕'이라는 인사보다 '고마워요'라는 말이 더 잘 어울릴 것 같다.

6

이제 내게는 몇 시간밖에 남지 않았다. 하지만 아이와 재회하기에는 충분한 시간일 수도 있다.

아이는 내가 죽었다는 사실을 알고 있다. 그러므로 우리는 길게 작별 인사를 나눌 수 없다.

나는 지금 많은 것을 바라지 않는다.

오직 아이를 한 번만 더 만나고 싶을 뿐이었다.

그리고 아이가 "제이" 하고 내 이름을 한 번 더 불러 줬으면 좋겠다.

더는 바라지 않는다. 그걸로 충분했다.

우리의 마지막 재회는 한순간에 끝날 테니까 그 짧은 시간 동안에는 내 몸도 이 세상에 머물 수 있을 것이다.

나는 그런 작은 희망을 가슴에 품고 달렸다. 달릴 때 지금까지의 소중한 추억들이 아련히 떠올랐다.

물론 10년 동안 아저씨와 아줌마와 셋이 지낼 때도 즐거웠지만, 아이가 태어난 후의 6년은 더더욱 특별했다.

6년 전에 아이가 태어난 그 순간부터 나는 늘 아이 옆에 있었다. 앨범에는 갓 태어난 아이와 내가 함께 찍힌 사진이 여러 장 들어 있다.

나는 아이와 함께 살아오면서 나이를 먹었다. 내 옆에 아이가 있는 게 당연하듯 아이 옆에 내가 있는 것도 숨 쉬듯 당연한 일이었다.

그렇기에 마지막 재회는 꼭 아이와 해야 한다고 생각했다.

비록 그 만남이 한순간에 끝나 버릴지라도 주저하지 말고 당연히 그렇게 해야 했다.

내가 돌아가야 할 곳, 내 마음이 가장 편안해지는 안식처는 오직 아이의 옆자리뿐이니까.

나는 아스팔트를 박차며 계속 달렸다.

지나가는 사람들의 시선이 내 몸에 달라붙을 때도 있었지만, 지금은 그런 걸 신경 쓸 겨를이 없었다.

무작정 달렸다.

아이의 흔적이 남아 있는 장소를 하나하나 찾아갔다.

처음으로 산책했던 길.

익숙한 공원 벤치.

새 목줄을 샀던 애견 숍.

아이와 술래잡기했던 공원의 미끄럼틀.

아이가 좋아하는 튤립이 피어 있던 길가의 화단.

달리고, 달리고, 또 달려도 피곤하지 않았다.

나는 아이를 간절히 만나고 싶었다.

그래서 그날처럼 아이의 냄새를 찾아다녔다.

코끝에 집중력을 모았다.

이 간절한 바람이 하늘에 닿는다면, 나를 아이가 있는 곳으로 데려가 주세요.

나는 오로지 아이를 만나고 싶을 뿐이었다.

바로 그때였다.

아이의 냄새가 났다.

바람결에 섞여 날아온 그 냄새.

내가 잘못 맡았을 리가 없다.

내가 가장 좋아하는 냄새.

그날과 똑같은 아이의 냄새.

아이.

집에서 약간 떨어진 국도 옆 인도에서 아이를 찾았다. 아이는 도로 옆의 인도를 따라 혼자 걷고 있었다. 생각해 보니 오늘은 토요일이니까 아이가 영어 교실에 가는 날이었다. 아무래도 혼자인 것 같았다. 내게는 다시없는 기회가 분명했다.

아이!

아이는 2차선 도로를 사이에 두고 나와 반대편에 있었다. 그쪽으로 건너갈 타이밍을 잡기가 쉽지 않았다. 여기서도 작별의 건너편에 있을 때처럼 아이의 이름을 부를 수 있다면, 내가 여기 있다는 것을 아이가 금방 알아차릴 텐데.

그렇지만 지금은 불가능했다. 단지 내가 할 수 있는 건 짖는 것뿐이었다.

"컹! 컹컹!"

내 목소리는 도로를 달리는 오토바이 엔진 소리에 묻혀 버렸다.

아이는 좀처럼 내 쪽을 돌아보지 않았다.

지금이 마지막 재회를 할 수 있는 유일한 기회다.

목청이 터져도 좋으니 계속 짖을 수밖에 없었다.

"컹! 컹컹!"

아이, 나 여기 있어.

"컹! 컹!"

이쪽을 좀 봐줘.

내가 여기 있잖아.

앗.

아이가 내 쪽으로 얼굴을 돌렸다.

내 목소리가 가닿았을까.

그런데 아이는 얼떨떨한 얼굴로 나를 쳐다보기만 했다.

내 몸에는 아직 아무런 변화가 일어나지 않았다.

흔적도 없이 사라진다더니, 나는 아직 이 세상에 남아 있었다.

실오라기 같은 희망이 끊어지지 않았구나.

그런데 아이가 돌연…….

"……!"

달음질해서 도로를 건너기 시작했다.

때마침 차량은 한 대도 지나가지 않았다.

그런데 곁길에서 나타난 트럭이 이쪽을 향해 다가오고 있었다.

아이에게는 트럭이 보이지 않을 것이다.

트럭을 모는 운전기사도 체구가 작은 아이가 시야에 들어오지 않는지 속도를 줄일 기미가 보이지 않았다.

이대로라면 위험했다.

트럭이 바짝 다가오고 있었다.

아이가 차에 치일지도 몰라…….

"컹컹!"

그 순간 나는 네 발로 힘껏 땅을 박차며 번개처럼 날아올랐다.

제정신이 아니었다.

몸이 저절로 움직였다.

트럭이 아이의 바로 코앞까지 들이닥쳤다.

클랙슨 소리가 울려 퍼졌다.

내 몸으로 막아야 한다.

아이를 구할 수 있는 건 나뿐이다.

아저씨가 그랬다.

내가 우리 집의 나이트라고.

나는 아이를 구해야만 한다.

슈우웅, 마치 탁류가 흐르는 듯한 소리가 귓가를 스쳤다.

트럭이 눈앞을 지나가는 소리였다.

위기일발의 순간이었다.

나는 몸을 날려 간신히 아이를 인도로 밀어낼 수 있었다. 절박한 상황이었다. 둘 다 다치지는 않았지만, 내가 기습적으로 밀치는 바람에 아이가 충격을 받고 쓰러졌다.

그리고 지금, 아이의 눈꺼풀이 열리려는 참이다.

아이가 눈을 뜨면 눈앞에 있는 나를 똑똑히 볼 수 있겠지.

나는 마지막 재회가 어떻게 끝날지 각오하고 있었다.

나는 마지막 순간에 아이를 지킬 수 있었다.

마지막으로 얼굴을 보고 작별 인사를 나눠야지. 아이가 한 번 더 나를 꼭 안고 "제이"라고 이름을 불러주면 더 좋겠지만.

하지만 그토록 눈부신 장면까지 기대해서는 안 된다.

이걸로 충분했다.

상상을 초월하는 행복한 결말이다.

나는 지난 16년 동안 분에 넘치는 행복을 맛보았다.

그때, 아이와 내 눈동자가 마주쳤다.

"아……."

아이가 목소리를 내기 위해 입술을 뗀 순간, 옆에서 말소리가 들려왔다.

"이 아이는 곤이란다. 어디 다친 데는 없니?"

한 남자가 걸음을 재촉하며 가까이 다가왔다.

나는 눈을 동그랗게 뜨고 그 사람을 쳐다보았다.

다니구치 씨였다.

작별의 건너편에 있어야 할 안내인님이 여기까지 와줬구나. 옆에 도키와 씨도 있었다.

다니구치 씨는 아이에게 나를 곤이라는 이름의 다른 개라고 소개했다.

"……곤?"

아이가 믿기지 않는다는 얼굴로 되물었다.

"그래, 내 반려견이야. 골든을 줄여서 곤. 어때, 참 영리하지? 그건 그렇고, 네가 무사해서 참 다행이다."

안내인님은 그렇게 말하며 빙그레 웃었다.

"곤……."

아이는 의심의 눈초리를 거두지 않았다.

그러더니 내 얼굴의 요모조모를 뜯어보았다.

"곤, 넌 제이랑 똑같이 생겼구나."

이제 아이는 다니구치 씨의 말대로 나를 곤이라는 다른 개라고 믿는 듯했다. 현세에서 내 모습이 사라지지 않은 것이 확실한 증거였다.

뜻밖에도 미처 예상하지 못한 빈틈이 있었다. 사람은 이름을 바꾸고 딴사람인 척한다고 상대방을 속일 수 없다. 그렇지만 개는 사람과 달라서 견종이 같으면 생김새가 비슷비슷해 보이기 때문에 잠깐이라면 속이는 게 가능하다.

그런 의미에서, 도로 반대편에서 아이가 나를 봤을 때 내 모습이 사라지지 않았던 것도 설명이 가능했다. 그때 아이는 나를 제이를 닮은 개라고 생각했던 것이다. 그건 그렇고 골든을 줄여서 곤이라니, 남의 이름이라고 너무 대충 짓는 거 아닌가…….

"그랬구나. 보나마나 제이도 영리했겠지?"

"네, 맞아요. 엄청 영리했어요."

아이는 그렇게 대답하고는 몹시 슬픈 얼굴로 말을 이었다.

"……그런데, 죽었어요."

"……괜찮으면 제이가 어떤 개였는지 우리한테 가르쳐 주지 않을래?"

다니구치 씨가 먼저 말을 꺼냈다.

아이는 고개를 끄덕였다.

"나는 제이를 정말 좋아했어요. 제일 친한 친구였거든요. 내가 밤잠을 설치면 제이가 내 이불 속으로 들어와 줬어요. 그래서 나는 조금도 외롭지 않았어요."

아이의 동글동글한 눈동자가 나를 보고 있었다.

"……그치만, 지금은 외로워요."

아이의 눈동자에서 보석 같은 눈물방울이 똑똑 떨어졌다.

"밤에 잠들기 전에도, 아침에 눈을 떴을 때도 제이가 내 옆에 없어요. 엄마랑 아빠는 제이가 오래오래 살았다고, 지금은 천국에서 행복하게 잘 지낼 거라고 말하지만……, 그래도 나는 제이가 없으니까 너무 외로워요."

눈물이 하염없이 흘렀다.

"나 너무 외로워, 제이……."

내가 또 너를 슬프게 만들어 버렸구나.

미안해, 그렇지만 이제 그만 울어도 돼.

이렇게 다시 만났잖아.

너와 함께 보낸 6년은 그 무엇과도 바꿀 수 없는 귀한 시간이었어.

나는 천수를 다하고 이 세상을 떠났거든.

그래서 행복했어.

"제이……."

나는 그런 내 마음을 조금이라도 전하고 싶어서 아이의 얼굴에 내 얼굴을 갖다 댔다.

그리고 아이의 뺨을 핥아 눈물을 닦아 주었다.

"고마워, 넌 정말 영리하구나. 진짜 제이랑 똑같아. 제이도 내가 울면 이렇게 위로해 줬는데."

아이는 화들짝 놀라 그렇게 말하다가 천진하게 웃었다.

다행이다, 아이가 웃어서.

난 너의 웃는 얼굴이 정말 좋아.

아, 아이가 웃는 얼굴을 다시 보게 되다니.

이제 미련은 하나도 남지 않았다.

다니구치 씨가 나를 다른 개라고 소개해준 덕분에 마지막 순간에 이렇게 아이와 얼굴을 마주하고 이야기할 수 있었다.

그때 묵묵히 지켜보고 있던 도키와 씨가 한 걸음 앞으로 나왔다.

그러고는 내게 비밀 사인을 보내듯 눈짓한 다음, 아이를 바라보며 말했다.

"혹시 괜찮으면, 곤을 제이라고 생각하고 말을 걸어보는 건 어떠니?"

"네에?"

아이가 눈을 동그랗게 뜨고 되물었다.

나도 깜짝 놀랐다.

다니구치 씨도 나처럼 놀란 것 같았다.

도키와 씨가 그런 말을 하리라고는 상상도 못 한 눈치였다.

"네 말대로 곤과 제이가 붕어빵처럼 닮았다면, 어쩌면 둘이 형제일지도 모르잖아."

"그럴까요?"

이번에는 다니구치 씨가 아이의 물음에 대답했다.

"하긴, 지금 곤에게 제이의 영혼이 옮겨와 있을 수도 있지."

"영혼? 옮겨와요?"

아이가 어리둥절한 얼굴로 다시 묻자 다니구치 씨가 쉬운 말로 풀어서 설명했다.

"이해하기 어려웠구나. 그러니까 내가 하고 싶은 말은, 지금 네가 하는 말이 곤을 통해서 제이에게 전달될 수도 있다는 뜻이란다."

"제이에게 전달된다……."

아이는 그 말을 곱씹듯이 작은 소리로 되풀이했다.

"그래. 혹시 제이에게 아직 하지 못한 말이 있으면, 곤에게 말해

봐. 틀림없이 네 마음이 전해질 테니까."

아이는 두 안내인님의 말을 제대로 이해했는지 고개를 끄덕이고 나서 말을 이었다.

"제이……."

아이가 내 이름을 불렀다.

두 번 다시 불리지 않을 거라 생각했던 그 이름.

단지 이름을 불러줬을 뿐인데 왜 이렇게 기쁜 걸까.

내 존재를 확인할 수 있기 때문일까.

정말이지 기쁘기 그지없었다.

소중한 사람이 내 이름을 불러주는 것보다 더 기쁜 일은 없다.

"제이, 고마워. ……계속 슬퍼하고 있으면 안 되겠지? 내가 자꾸 울면 제이가 걱정돼서 천국에 못 가잖아."

아이는 이제 울지 않았다.

아이의 얼굴 위로 내가 좋아하는 예쁜 미소가 피어올랐다.

고맙다고 말해야 하는 건 나야, 아이.

밤에 잠들기 전에도, 아침에 눈뜨기 전에도 네가 항상 내 옆에 있어줘서 나도 외롭지 않았거든.

우리 매일 함께 산책했잖아. 네가 남자아이들이 불러도 나랑 산책해야 한다며 거절할 때는 기분이 좋았어. 그렇다고 질투하는 건 아니야.

나이가 들어서 내 몸이 굼뜰 때는 네가 발걸음을 맞춰 줬잖아. 아줌마 몰래 간식으로 육포도 많이 챙겨주고.

고마워, 네가 슬그머니 챙겨준 육포를 먹을 때는 왠지 조금 나쁜 짓을 하는 기분이 들어서 더 맛있었어.

요즘 들어 내가 잠자는 시간이 늘어났는데도 너는 그런 내 옆에 꼭 붙어 있어줬어.

소파에 같이 앉아 있을 때는 내 몸을 부드럽게 쓰다듬으며 자장가처럼 「알파벳 송」을 불러줬고. 나날이 발음이 좋아져서 깜짝 놀랐어.

그리고 네가 이 세상의 별별 멋진 모습들을 찾아낼 때마다 나는 늘 감탄했어.

앞으로도 나에게 많은 것들을 가르쳐 주기를 바랐어.

또 네가 쑥쑥 커가는 모습을 옆에서 지켜보고 싶었어.

비록 오늘로 전부 끝이지만.

그렇지만, 나는 행복했어.

난 이 나라에서 아니, 전 세계에서 가장 행복한 개였어. 히사카와 집안의 가족이 될 수 있어서 참 좋았어.

"제이, 사랑해. 내가 태어날 때부터 넌 항상 내 옆에 있어 줬잖아. 그러니까, 제이는 앞으로도 계속 나와 함께 있을 거야. 내 옆에는 제이가 있고, 제이 옆에는 내가 있으니까."

내게는 더없이 기쁜 말이었다.

내가 편히 쉴 수 있는 안식처는 아이의 옆자리였으니까.

나에게 '행복의 냄새'란 네가 옆에 있을 때의 냄새니까.

"제이, 있잖아, 너한테 아직 알려주지 않은 게 하나 있는데. 내가 자주 부르던 노래 기억나?"

아이가 생긋 웃으며 물었다.

무슨 말을 하려는 걸까.

나는 아이가 하려는 말을 가늠할 수 없었다.

바로 그때, 아이가 그 노래를 부르기 시작했다.

"에이, 비, 시, 디……."

「알파벳 송」이었다.

내가 좋아하는 노래.

그 무엇보다 좋아하는 아이의 노랫소리.

"이, 에프, 지……."

이 노래까지 한 번 더 듣게 되리라고는 생각지 못했다.

"에이치, 아이, 제이……."

그런데 아이가 대뜸 노래를 멈추더니 또다시 생긋 웃으면서 말했다.

"봐, 아이와 제이는 같이 있잖아."

그 순간, 나도 깨달았다.

정말이었다.

알파벳 I와 J.

아이 옆에는 제이가 있었다.

아이는 내게 이 사실을 가르쳐 주고 싶어서 둘이 같이 있을 때마다 이 노래를 불렀던 것이었다.

나는 상상도 못 했다.

이토록 놀랍고도 근사한 일이 있다니.

이렇게 굉장한 것을 찾아낸 너는 정말 영리한 아이야.

"이 세상 어디에 있더라도 우리는 늘 함께야. 사랑해, 제이."

아이는 그렇게 말하더니 영어 교실이 끝나는 시간에 맞춰 데리러 갔을 때처럼 나를 힘껏 껴안았다.

고마워, 아이.

내가 좋아하는 노랫소리를 들려줘서 고마워.

활짝 웃는 얼굴을 보여줘서 고마워.

너는 새로운 사실을 찾아낼 때마다 나를 웃게 해줬어.

이토록 멋진 마지막 순간이 기다리고 있을 줄은 생각도 못 했어.

네가 나를 사랑한다고 말해준 것처럼, 나도 너를 사랑해.

사자처럼 생긴 이 금빛 털을 절대로 잊으면 안 돼.

앞으로도 네가 내 이름을 부르기만 하면 당장 네 옆으로 찾아 갈게.

나는 너를 지키는 금빛 기사니까.

제3화

한여름 밤의 꿈

1

내 남편 사토루가 행방불명된 지 2주가 지났다.

사토루의 직업은 사진 기자다. 주로 해외에서 사진을 찍는다. 지금은 종군 사진 기자가 되어 전 세계를 돌아다니고 있다.

사토루는 중동의 한 분쟁 지역으로 이동하다가 행방이 묘연해졌다. 갑자기 연락이 끊긴 것이다. 내가 이런 상황에서도 최악의 사태를 가정하지 않는 것은 전에도 비슷한 일이 두어 번 있었기 때문이다. 그때는 무사히 돌아왔었다. 그래서 이번에도 무사할 거라며 희망의 끈을 놓지 않았다.

나는 그런 비일상적인 나날을 보내며 오늘도 주방에 서 있다. 평상심을 유지하기 위해 되도록 반복되는 생활을 똑같이 이어가고 싶었다. 나는 지나치게 깊이 생각하는 게 꼭 좋지만은 않다는 걸 알고 있었다. 생각에 생각을 거듭하다 보면 점점 더 나쁜 상상을 하기 마련이니까.

지금 내가 할 수 있는 일은 남편이 돌아왔을 때를 대비해 이 집을 지켜내는 것이다. 그리고 그가 무사히 돌아오기를 기도하며 기다려야 했다.

부디 내 바람을 이루어 주십사 하고 신에게 기원하는 건 아니지만, 연락이 끊어진 날부터 하루도 빠뜨리지 않고 사토루가 좋아하는 음식을 만들었다. 사토루는 사진 찍는 일 다음으로 맛있는 음식 먹는 것을 좋아했다.

오늘 메뉴는 양배추롤이다. 사토루가 여기 있었다면 환호성을 내지르고도 남았으리라. 사토루가 좋아하는 토마토소스를 넣어 양배추롤을 끓였으니까.

"됐다……."

맛을 보고 마지막으로 후추를 뿌려 요리를 완성했다. 흰색 접시에 담긴 붉은색 수프. 그리고 조청빛 양배추롤이 접시 한복판을 차지했다. 혼자 먹기 아까울 만큼 먹음직스러웠다.

"……."

나는 무심코 접시에서 피어오르는 김을 물끄러미 바라봤다. 얼결에 생각에 빠졌던 걸까, 그것도 아니면…….

갑자기 초인종이 울렸다.

"택배 왔나."

그러나 이내 아무것도 주문하지 않았다는 사실이 떠올랐다. 누가 온다는 말도 없었다. 나는 결론을 내리지 못한 채 현관으로 향했다.

문을 열자 상상도 못 한 사람이 있었다.

"어……."

"아야……."

눈앞에 서 있는 사람이 내 이름을 불렀다.

집에 돌아와 이렇게 내 이름을 부를 사람은 오로지 한 명뿐이다.

"사토루……."

사토루였다.

해외에서 실종됐다던 사토루가 현관문 앞에 서 있다니.

"어떻게 여기에……."

내가 미처 말을 맺기 전에 사토루가 나를 끌어안았다.

"아야……."

사토루는 그저 내 이름을 부를 뿐이었다.

아무런 설명 없이 내 몸을 감싸며 나를 꽉 안아 주었다.

"사토루……."

나도 사토루를 끌어안았다.

영문을 알 수 없는 상황이었지만, 몸이 저절로 반응했다.

나도 그를 안고 싶었다.

사토루가 있다.

지금 내 품 안에 그가 있다.

오랜만에 사토루의 체온과 닿은 기분이었다.

"……사토루."

한 번 더 그의 이름을 불렀다.

사토루가 여기 있다는 것을 확인하고 싶어서.

그것은 8월의 오봉 휴가(우리나라의 추석과 비슷한 일본의 명절) 때 있었던, 말로는 설명할 수 없는 기이한 사건이었다.

2

내가 사토루를 처음 만났을 무렵, 그는 지역 정보지의 사진 기자로 일하고 있었다. 당시 내가 일하던 레스토랑에 사토루가 취재차 방문했다.

"조금만 더 창가 쪽으로 옮겨 주세요. 좋아요."

사토루는 차분하고 신중하게 일하는 사람이었다. 기다란 손끝을 갖다 댄 일안 리플렉스 카메라는 오래된 악기처럼 보였다. 그는 음악을 연주하듯 찰칵찰칵 셔터를 눌렀다. 눈앞에 늘어선 요리보다 그가 찍은 사진이 더 맛있어 보여서 신기했다.

"오늘 고마웠습니다."

일을 끝낸 후 사토루는 허리를 깊숙이 숙이며 인사했다. 그냥 헤어지기 아쉬웠던 나는 "다음에 또 방문해 주세요. 다음 주 추천

메뉴는 게살 크림 크로켓이에요"라며 작별 인사 대신 메뉴 이야기를 꺼냈다. 그러자 사토루가 빳빳이 굳은 얼굴 근육을 풀고는 "그럼 다음 주에 다시 오겠습니다" 하고 대답했다.

그리고 사토루는 다음 주에 진짜 가게를 다시 찾아왔다. 이번에는 일이 아니라 손님으로.

"고맙습니다."

게살 크림 크로켓을 테이블로 가져가자 사토루가 말했다. 사토루가 테이블에 혼자 남았을 때 "잘 먹겠습니다" 하고 나지막이 중얼거리는 소리가 들렸다.

그런 사토루의 모습을 바라보는 사이 나도 모르게 그에게 끌렸던 것 같다. 내가 마음을 표현할 기회를 엿보고 있는 동안, 사토루는 손님으로 여러 번 가게를 찾아왔다. 처음에는 거의 말을 섞지 않았지만, 조금씩 대화가 늘어났고 어느새 둘이 함께하는 시간이 당연해졌다.

우리는 사토루가 처음 가게에 오고 반년이 지났을 즈음부터 교제를 시작했다. 또 그로부터 2년 후에는 둘 다 말은 하지 않았지만 진지하게 결혼까지 생각하고 있었다.

그러던 어느 날 사토루가 내게 한 가지 사실을 고백했다.

내내 가슴속에 묻어뒀던 비밀을 털어놓듯이.

"전쟁터로 가서 종군 사진 기자가 되고 싶어."

너무도 갑작스러웠다. 그렇지만 그런 예감이 전혀 없지는 않았다. 사토루가 종군 활동에 관한 책을 읽고 있다는 것도, TV에 국제 정세 뉴스만 나오면 빨려 들어갈 듯한 기세로 화면을 뚫어져라 직시한다는 것도 알고 있었다.

하필 이 타이밍에 속마음을 털어놓는 데는 사토루 나름의 이유가 있으리라.

"우리 결혼을 진지하게 생각해 봤어. 그런데 그런 생각을 하면 견딜 수가 없었어. 당신에게 계속 걱정을 끼치게 될 것 같아서."

사토루는 나와의 결혼을 진지하게 고민한 후에 가슴에 엉겨 있던 솔직한 심정을 털어놓은 것이었다.

"내 마음대로 결정해서 미안해……."

꾹꾹 말을 눌러 담는 사토루의 얼굴이 고통으로 일그러졌다. 괴로워 보였다.

그 말을 들은 순간 이미 내 머릿속에는 할 말이 떠올랐다.

그렇기에 나는 사토루의 눈을 지그시 들여다보며 입술을 움직였다.

"그럼 우리 결혼하자. 그편이 나도 마음의 준비를 할 수 있을 것 같아."

내 말을 들은 사토루의 눈이 휘둥그레졌다.

나는 이어서 계속 말했다.

"그렇게 위험한 곳에 가야 하는 사람에게는 돌아갈 곳이 꼭 있어야 한다고 생각해."

나는 시선을 피하지 않고 사토루의 눈을 정면으로 응시했다.

"그래야 앞으로 위험한 지역에 가더라도 꼭 집에 돌아가야 한다며 각오를 다지게 될 테니까."

"아야……."

사토루는 내 이름을 부르며 고개를 작게 끄덕이더니 울음이 터질 것 같은 표정을 지었다. 그렇지만 그는 끝까지 입술을 깨물며 울음을 삼켰다. 사토루 나름대로 괜한 걱정을 끼치고 싶지 않았을 것이다. 약한 모습을 보여주기 싫었는지도 모른다. 그런 사소한 행동 하나하나에서도 사토루의 강인한 의지를 엿볼 수 있었다.

우리는 그날 당장 혼인 신고를 마쳤고, 사토루는 석 달 후에 종군 사진 기자가 되어 전쟁터로 떠났다.

그런 사정이 있었기에 나는 필요 이상으로 염려하지 않고 사토루가 무사히 집에 돌아오기를 기다릴 수 있었다.

마음을 단단히 먹고 이 집을 계속 지켜왔다.

그렇지만 사토루가 연락도 없이 불쑥 돌아오리라고는 상상하지 못했다.

"맛있다……."

그렇게 말하면서 양배추롤을 입으로 가져가는 사토루의 얼굴을 빤히 들여다보았다. 나는 아직도 뭐가 뭔지 얼떨떨하기만 했다. 내 눈앞에서 일어난 일이 꿈은 아닌지 여전히 의심스러웠다.

"오랜만이야, 당신이 만든 양배추롤."

"언제 돌아올지 몰라서 매일매일 당신이 좋아하는 음식을 만들었거든."

"그랬어?"

"……응, 행방불명됐다는 소식을 들었던 날부터."

"그랬구나……."

사토루는 더 이상 말을 잇지 못했다. 나도 무슨 말을 꺼내야 할지 몰라서 눈앞의 사토루만 바라보았다.

정말 갑작스러운 귀가였다. 지금까지는 사토루가 일본에 돌아올 때마다 사전에 전화가 왔었다. 몇 월 며칠 몇 시쯤에 도착한다고. 공항에 마중 나갈 나를 위해서 가능한 한 정확하게 알려 주었다.

그런데 이번에는 완전히 달랐다. 돌연 집까지 찾아왔다. 음식을 내오기 전에 몇 번이나 어떻게 이렇게 갑자기 돌아오게 됐는지 물어봐도 우물우물하면서 제대로 가르쳐 주지 않았다. 다만 연락해야 하는 곳에는 전부 연락을 돌려 상황을 알렸다며 그 점은 걱정할 필요가 없다고 했다.

사토루가 그렇게 나오니까 더 이상 묻기 힘들었다. 깊이 파고들면 안 될 것 같았다. 혹시 쓰라린 아픔을 감추고 있지는 않을까. 전쟁터에는 고통스러운 일들이 비일비재하다. 혹시라도 그런 일이 사토루에게 트라우마로 남았다면, 자꾸 캐묻지 않는 게 좋을 것 같았다. 나중에 사토루가 말해줄 때가 오면 그때 실컷 들으면 된다.

"아, 잘 먹었다. 진짜 맛있었어, 양배추롤."

사토루는 깨끗이 비운 접시를 식탁 위에 내려놓았다. 만족스러운 그의 표정을 보기만 해도 나까지 기분이 좋아졌다. 갑자기 일어난 일이지만 세세한 사정은 이대로 덮어두고 싶을 만큼 기쁨이 의문을 밀어냈다.

"당신이 양배추롤을 처음 만들었던 날, 하나만 안에 고기를 안 넣어서 그냥 양배추 덩어리였던 거 기억나?"

"아, 그랬지."

사토루는 그날 일을 계속 이야기했다.

"그래도 안에 국물이 잔뜩 배어 있어서 그것도 맛있었어. 양배추롤이 아니라 올 양배추였지만."

"올 양배추."

고기가 안 들어간 양배추 덩어리였으니 그 말이 맞았다. 둘이 함께 있을 때면 이런 시시한 이야깃거리도 재미있었다.

"참고로 어제 메뉴는 게살 크림 크로켓이었어."

"아, 그랬구나. 진짜 아쉽다."

사토루는 내 말에 아쉬워 죽겠다는 표정을 지었다. 게살 크림 크로켓은 사토루가 제일 좋아하는 음식이었다.

"그날 레스토랑에서 처음 먹었을 때, 너무 맛있어서 깜짝 놀랐어. 이제 그 맛을 재현할 수 있는 사람은 아야뿐이잖아."

우리가 처음 만났던 레스토랑은 얼마 안 가 문을 닫았다. 그렇지만 나는 그때 그 맛을 똑같이 살려낼 수 있다. 이제 가게에서 팔지는 않지만, 이렇게 집에서 만들어 먹을 수 있었다. 게살 크림 크로켓 하나만으로도 우리의 첫 만남을 언제까지고 기억할 수 있을 것 같았다.

"옛날 생각난다."

사토루가 옛날을 그리워하는 눈빛을 보이다가 뭔가 생각난 듯 말을 이었다.

"그때 레스토랑 소개가 실렸던 잡지, 아직 있을까?"

"갑자기 웬 옛날 잡지 타령이야? 이제 와서 다시 꺼내지 마."

내 사진을 다시 보려니 창피해서 괜히 툴툴거렸다. 촬영 당시에도 난생처음 해보는 취재에 얼마나 긴장했는지 모른다. 잡지에 사진이 실리고 나서도 내 얼굴만은 똑바로 쳐다볼 수가 없었다.

"그냥, 지금 한 번 더 보고 싶어졌어."

사토루는 벌써 자리에서 일어나 있었다. 자기 방으로 갔다가 금방 다시 돌아와서는 식탁 위에 잡지 몇 권을 펼쳐 놓았다.

"찾았다."

잡지에 당시의 사진이 실려 있었다.

"진짜 옛날 사진이다."

그런데 내 생각과 달리 사진 속의 나는 긴장은커녕 환하게 웃고 있었다. 가게 주인과 같이 일하던 직원들도 모두 밝은 미소를 머금고 있었다.

당시의 기억들이 단숨에 되살아났다. 부끄러움은 순식간에 사라지고 어느새 그리움이 물밀듯이 밀려왔다.

그대로 잡지를 한 장씩 넘겼다. 내가 일하던 레스토랑뿐 아니라 다른 가게들과 이벤트를 소개하는 기사도 실려 있었다. 사토루가 찍은 사진 속 사람들은 하나같이 웃고 있었다. 근처 꽃 가게 주인. 빵 가게에 줄 서 있는 사람들. 바닷가에서 뛰노는 아이들. 한 사람도 빠짐없이 편안한 얼굴로 웃고 있었다.

"좋다……."

사토루는 신기한 사람이었다. 왜냐하면 사토루 자신은 잘 웃지 않았으니까. 무표정한 건 아닌데 늘 덤덤하달까. 이를테면 표정 변화가 별로 없는 편이었다. 그런데 사람들이 웃는 순간은 잘 포착했다.

그건 사토루가 가진 사진 기자로서의 독창성이자 특수 능력이라고 해도 지나치지 않을 것이다. 나는 그의 그런 별난 재능에도 매력을 느꼈다.

그랬기에 사토루가 종군 사진 기자가 되고 싶다고 했을 때는 적잖이 놀랐다. 앞으로는 지금껏 찍었던 사진과 정반대의 사진을 찍게 되리라 생각했기 때문이다. 그때까지 입 밖으로 내지 않았을 뿐, 전쟁터로 나가고 싶다는 생각을 줄곧 가슴에 품고 있었을 것이다. 어쩌면 정반대의 평화로운 일상 사진을 찍는 동안 그런 생각이 갈수록 더 강해졌을지도 모른다.

"앗, 오늘이 혹시……."

추억에 젖어 잡지를 훌훌 넘기던 사토루의 손이 8월호 특집 페이지에서 딱 멈췄다.

거기에는 아름다운 불꽃 사진이 실려 있었다.

"오늘이 기사라즈 불꽃 축제 하는 날이지?"

"아, 그러고 보니 맞는 거 같아."

나도 이제야 기억났다. 역 앞에도 유카타(목욕한 뒤나 여름철에 입는 일본의 무명 홑옷)를 차려입고 돌아다니는 사람들이 있었다. 하지만 요 며칠은 사토루가 행방불명된 일 때문에 머리가 복잡해서 그런 데 관심을 가질 여유가 없었다.

"불꽃놀이 보고 싶다."

"나도 보고 싶어."

“그럼 보러 가자.”

우리의 마음이 통했다. 생각지도 못한 이벤트가 생겼다. 어제와는 사뭇 다른 하루에 가슴이 뛰었다. 가슴 설레는 시간이 이토록 빨리 돌아올 줄이야.

“재미있겠다.”

사토루가 소리 내어 말했다.

이번에도 서로의 마음이 통했다.

내 눈앞에서 시간이 아주 온화하게 흐르는 느낌이 들었다.

하늘을 덮은 소나기구름이 보드라운 솜사탕처럼 보일 정도로.

3

나도 정신이 없었나 보다. 모양만 봐도 예상할 수 있듯이, 보드라운 솜사탕 같던 소나기구름이 뭐든지 싹 쓸어버릴 듯한 기세의 장대비를 몰고 왔다. 타이밍이 나쁘게도 불꽃놀이가 시작되기 한 시간 전부터 집중 호우가 끝없이 쏟아졌다. 그리고 불꽃 축제를 중단한다는 공식 발표가 나오고 30분이 지나자 비가 그쳤다.

저녁 8시. 방금까지 비를 퍼붓던 하늘이 거짓말처럼 맑게 개더니 지금은 별이 보였다. 이제 늦었어, 하고 하늘을 향해 투덜거려 봐도 대답은 돌아오지 않았다.

"……아쉽다."

나는 옆에 있는 사토루를 보며 말했다. 사토루도 원망스러운 표정으로 활짝 갠 밤하늘을 올려다보고 있었다.

“……그러게, 자연이 하는 일이니까 어쩔 수 없지.”

사토루는 입으로는 그렇게 말했지만, 진짜로 어쩔 수 없다고 받아들이는 사람처럼 보이지는 않았다.

“내년에 다시 보자. 그때는 틀림없이 날씨가 좋을 거야.”

“그래, 그렇겠지…….”

사토루는 말끝을 흐렸다. 내 귓가에 들릴락 말락한 작은 소리로 중얼거리며 고개를 까딱할 뿐이었다. 내가 내년에는 틀림없이 날씨가 좋을 거라며 근거도 없는 확신을 해서일까. 그것도 아니면 내년까지 기다릴 수 없을 것 같아서일까.

사토루의 속마음을 알아낼 수가 없었다. 그리고 물어볼 수도 없었다.

그런데 사토루가 좋은 아이디어가 생각났다는 얼굴로 한 가지 의견을 내놓았다.

“불꽃놀이를 볼 수 없으면, 지금부터 하면 되잖아.”

“응?”

상상을 초월하는 말이었다.

내가 영문을 몰라 하자 사토루가 다음 말을 이었다.

“폭죽 사러 가자.”

“직접 손에 쥐고 놀자고?”

“그래.”

"난데없이 그게 뭐야……."

사토루와 둘이서 불꽃놀이를 한 적은 한 번도 없었다. 우리 두 사람 다 이미 삼십 대 중반인지라 나이도 먹을 만큼 먹었다. 다 큰 어른 둘이 불꽃놀이라니, 상상만 해도 민망하기 짝이 없었다.

"뭐 어때, 가끔은 괜찮잖아."

"가끔이라니, 처음이거든."

"그럼 더 좋지. 하자, 첫 번째 불꽃놀이."

뭐가 더 좋다는 건지 통 이해되지 않았지만, 사토루는 이미 결심을 굳힌 듯했다. 나는 이렇게 되면 내가 무슨 말을 해도 소귀에 경 읽기라는 사실을 알았다. 그리고 애당초 나는 더 이상 불평을 늘어놓을 마음이 없었다.

왜냐하면 사토루가 이렇게 막무가내로 고집을 부리며 놀자고 제안하는 것 자체가 처음이었으니까. 그렇기에 무척 신선한 경험으로 다가왔고, 나는 잠깐 머뭇거리긴 했어도 기분이 좋았다.

우리는 집 근처 슈퍼로 갔다. 여름을 겨냥한 시즌 상품이어서인지 입구 바로 앞에 불꽃놀이 코너가 마련되어 있었다.

폭죽을 고르는 사토루의 표정은 동심으로 돌아간 어린아이 같았다. 집으로 향하는 발걸음도 가벼웠다. 나도 덩달아 발걸음을 재촉해야 했다. 비 때문에 불꽃놀이가 중단된 탓에 좀 전까지 기운이 빠져 있었다는 사실이 거짓말처럼 느껴졌다.

"좋아, 다 됐어."

집에 돌아와 폭죽을 꺼내놓고, 양동이에 물을 담아 준비를 마쳤다. 손에 들고 노는 폭죽뿐 아니라 화려한 분수 폭죽도 샀다. 신이 나서 어깻바람을 일으키는 모습만 봐도 사토루가 얼마나 불꽃놀이를 고대하는지 알 수 있었다.

"아야도 같이 해야지."

사토루는 그렇게 말하면서 내게 폭죽 하나를 건네주었다. 그러고는 몸을 숙이고 라이터로 불을 붙였다

"와."

불이 붙자마자 불꽃이 사방으로 흩어졌다. 치직치직 소리와 함께 노랑에서 초록, 초록에서 빨강으로 색이 바뀌었다.

"아야, 이쪽도."

내 손에 들린 폭죽의 불꽃이 사그라지기 전에 사토루가 자기 폭죽의 끝부분을 내 폭죽에 갖다 댔다. 이번에는 라이터를 꺼내지 않아도 불꽃끼리 이어지면서 새로운 불꽃이 피어올랐다.

그렇게 불꽃이 이어지는 모습은 마치 생명이 이어지는 것처럼 느껴졌다. 끝을 맞이하기 전에 차례차례 불빛이 솟아났다. 빛이 끊어지지 않도록, 새로 생겨난 빛이 이어지도록.

눈앞에 어제까지와는 완전히 다른 광경이 펼쳐졌다. 마치 다른 세상에 온 듯한 기분이었다. 마음이 한없이 평화로웠다. 캄캄한

어둠 속에서 폭죽이 선명한 불꽃을 피워 올린 것처럼, 흑백이었던 내 생활에도 다채로운 빛깔이 돌아온 것 같았다.

사 왔던 폭죽의 3분의 1가량을 썼을 즈음, 우리 집 앞을 지나가는 사람들이 있었다.

"안녕하세요."

"불꽃이 참 예쁘네요."

근처에 살면서 종종 인사를 나누던 할아버지와 할머니였다. 오늘은 손자도 함께였다.

"불꽃놀이 같이 할래?"

사토루가 먼저 말을 걸자 소년은 잠시 망설이는 기색을 보이다가 미소를 지으며 "하고 싶어요" 하고 대답했다.

소년의 어머니는 여름 방학이 시작되면 아이를 친정으로 보냈다. 소년의 아버지는 오래전에 세상을 떠났고, 소년은 해마다 여기서 여름 방학을 보내는 듯했다.

나도 사토루도 소년의 얼굴을 알고 있었다. 하지만 1년에 한 번씩만 얼굴을 보다 보니 만날 때마다 아이가 너무 빨리 자라서 놀라곤 했다. 지금은 초등학교 6학년이고, 내년에 중학교에 들어간다고 했다.

"자, 이걸 잡고, 처음에는 땅을 향해서……."

사토루는 찬찬히 준비해 주고 나서 라이터로 불을 붙였다.

"우아."

새로운 불꽃이 솟아오르자 불빛 속에 소년의 상기된 얼굴이 떠올랐다.

"동그라미를 그리거나 숫자 8을 그려보면 재미있어."

사토루의 말을 듣고 그대로 따라 하는 소년의 얼굴이 점점 더 환해졌다.

그 모습을 바라보던 사토루가 황급히 집 안으로 들어갔다. 그가 다시 마당에 나왔을 때는 손에 카메라가 들려 있었다.

"좋아, 그렇지."

소년은 새 폭죽을 들고 함박웃음을 머금었다. 그러더니 폭죽을 흔들며 마법사처럼 밤하늘에 빛줄기를 그렸다.

소년의 반짝이는 미소가 주위 사람들에게 퍼져 나갔다. 할아버지가 웃었다. 할머니도 웃었다. 그리고 나도 웃음이 나왔다.

사토루는 연신 셔터를 눌러대며 그 순간을 카메라에 담았다. 그 모습이 지역 정보지에서 사진 기자로 일하던 시절의 그와 겹쳐 보였다. 변함없이 자기는 잘 웃지도 않으면서 다른 사람의 웃는 얼굴은 누구보다 잘 찍었다.

소년도 사진을 찍는 사토루가 신기했는지 손에 들고 있던 불꽃이 완전히 사그라지자 사토루를 향해 물었다.

"사진 찍는 거, 재미있어요?"

"재미있고말고. 좋은 피사체가 있으면 더 재미있고."

"피사체?"

"사진 찍는 대상을 말하는 거야."

사토루는 거기까지 말하더니 마치 소년의 마음을 읽은 것처럼 말을 꺼냈다.

"사진 찍어볼래?"

불꽃놀이를 권할 때와 비슷한 말투로 묻자 소년도 아까처럼 "하고 싶어요"라고 대답했다.

사토루는 여느 때 같으면 손도 못 대게 하는 업무용 카메라를 아무런 망설임 없이 소년에게 건넸다.

"카메라에 달린 줄을 목에 걸고, 카메라를 꽉 잡아. 그다음에 파인더를 들여다보면서 피사체를 선택하고, 원하는 타이밍에 셔터를 누르는 거야. 어두운 곳에서는 셔터 속도가 느려지니까 팔로 딱 고정하고."

폭죽에 불을 붙일 때보다 훨씬 자세하게 설명하고는 소년의 머리를 쓰다듬었다.

"엄청나게 멋진 불꽃을 보여줄 테니까, 잘 찍어야 해."

그러고 나서 사토루가 불꽃놀이 세트가 들어 있는 봉지에서 꺼낸 것은 슈퍼에서 제일 비쌌던 분수 불꽃이었다.

"아야도 잘 봐."

사토루가 나를 보며 그렇게 말하기에 고개를 살짝 끄덕여 주었다. 나도 분수 불꽃이 등장하기에는 지금 이 순간이 안성맞춤이라고 생각했다.

"다들 멀리 떨어져 주세요."

사토루는 그렇게 말하며 도화선에 불을 붙였다.

가느다란 불빛이 눈 깜짝할 사이에 커다란 불꽃으로 변했다.

"와아."

내 입에서도 소년과 비슷한 감탄사가 터져 나왔다. 나뿐 아니라 다른 사람들도 마찬가지였으리라.

다들 얼굴 가득 웃음을 보이며 솟아오르는 불꽃을 바라보았다.

불꽃은 선명하면서도 자유자재로 모양과 색을 바꾸었다.

소년도 할아버지도 할머니도 나도, 그리고 사토루까지 입가에 미소를 머금은 채로 불꽃이 터지는 방향으로 시선을 보냈다.

더할 나위 없이 평화로운 한때였다.

그리고 행복과 평화가 가득한 세계였다.

이런 날들이 언제까지 이어질지는 알 수 없다. 이제 막 시작됐을 따름이다.

어제까지는 긴장 속에서 하루하루를 보냈다. 갑작스레 일상이 색을 바꿔 입은 것처럼, 오늘같이 평화로운 시간도 갑자기 사라지는 건 아닐까.

위로 솟구치던 불꽃이 호를 그리며 땅에 떨어졌고, 그대로 꺼졌다. 그 광경은 마치 비처럼 보이기도 했다.

그렇지만 이 불꽃은 빗방울처럼 순환하지 않는다.

땅에 떨어지면 흔적도 없이 사라진다.

"……."

희미한 허무감이 내 마음을 에워싼 건 한순간에 꺼진 불꽃 때문일까.

당분간 더위가 이어질 테지만, 밤이 되면 왠지 여름날의 끝자락을 붙잡고 있는 듯한 기분이 든다.

눈물이 날 만큼 아름다운 여름밤이 빠르게 깊어 갔다.

4

불꽃놀이가 끝난 뒤에는 피로도 쌓였겠다 곧바로 잠자리에 들 줄 알았는데, 내 예상은 보기 좋게 빗나갔다. 곧바로 잠들기는커녕 밤공기를 가르며 한 번 더 집 밖에 나가 상점가에 있는 한 가게로 들어왔다.

"이거, 영화를 무진장 좋아하는 사람이 추천해 줬어."

우리가 온 곳은 술집이 아닌 24시간 영업하는 비디오 대여점이었다. 오봉 휴가라는 시기도 한몫했는지 저녁 10시 가까이 됐는데도 가게 안이 상당히 붐볐다.

"이런, 〈펄프 픽션Pulp Fiction〉이랑 〈쇼생크 탈출The Shawshank Redemption〉은 누가 빌려 갔네. 그래도 〈포레스트 검프Forrest Gump〉는 하나 남아 있어서 다행이다."

사토루는 그렇게 말하며 〈포레스트 검프〉를 빌렸다.

집에 돌아오자마자 둘만의 영화 상영회가 시작되었다.

"사토루, 안 피곤해?"

나는 본편이 시작되기에 앞서 예고편 영상이 흐르는 동안 걱정스레 물었다. 사토루는 오늘 낮에 집에 돌아온 후로 잠시도 쉬지 않고 계속 움직였다.

거기다 지금부터 러닝 타임 두 시간이 훌쩍 넘는 영화를 볼 예정이다. 영화가 끝날 때쯤엔 새벽 1시가 넘을 터다.

"응, 하나도 안 피곤해. 당신은 졸리면 무리하지 말고."

사토루는 그렇게 대답했다. 느낌상 고집을 부리는 것 같지는 않았다. 이윽고 〈포레스트 검프〉의 본편이 시작되었다.

부제인 '일기일회(평생 단 한 번뿐인 만남을 뜻하는 말로, 일본에서 개봉할 때는 이 부제가 달렸다)'라는 말에서 알 수 있듯이 만남과 이별에 관한 영화였다. 그리고 인생을 이야기하는 영화였다.

주인공 포레스트 검프는 온갖 역경 속에서 놀라울 정도로 빠른 발 덕분에 미식축구 선수가 되고 회사도 설립하면서 불우하다고도, 기적이라고도 말할 수 있는 인생을 살아간다.

영화에는 베트남전 장면도 나왔다. 처절한 전시 상황을 길게 묘사하지는 않았다. 어디까지나 이야기의 일부로 등장했을 뿐이다. 그렇지만 그 장면을 바라보는 사토루의 표정은 다른 장면을 볼 때와 사뭇 달랐다. 영화 속 등장인물인 댄 중위를 바라보는 시선이 한없이 진지했다.

아마도 전쟁터에서 사진 기자로 활동하는 자신과 겹쳐 보였던 게 아닐까.

나는 아무 말도 할 수 없어서 진지한 눈빛으로 화면을 응시하는 그의 손을 꼭 잡아 주었다. 그러자 사토루도 내 손을 마주 잡았다.

어느새 엔딩 크레딧이 흐르기 시작했다.

영화를 보고 나서 내 가슴에 가장 인상 깊게 남은 대사는 주인공의 엄마가 한 말이었다.

"인생은 초콜릿 상자와 같아. 네가 무엇을 고를지 아무도 모르거든."

정말이지 이 말을 그대로 보여주는 듯한 멋진 영화였다.

"진짜 재밌었어. 존 레논과 엘비스 프레슬리까지 나올 줄이야."

"저런 만남이 실제로 일어날지도 모른다고 생각하면 정말 흥미진진해."

"맞아. 사토루한테 이 영화를 추천해준 사람이 없었다면 우리는 이 영화를 못 봤을지도 모르잖아. 그 영화광을 만난 덕분에 영화도 보고. 고맙다고 꼭 전해줘."

"그러게, 당신 말이 맞아. ……제대로 감사 인사를 해야겠어."

사토루는 우물거리며 말하고는 비디오테이프를 꺼냈다. 내가 기지개를 켜며 하품을 하자 사토루가 알겠다는 듯이 말했다.

"그만 잘까?"

침실로 가서 이불 속을 파고들었다. 좀 전에 하품을 했듯이 나는 금방이라도 졸음이 쏟아질 것 같았지만, 사토루는 달랐다. 아직 잠의 파도가 밀려오지 않았는지 눈을 멀뚱멀뚱 뜨고 천장을 쳐다보고 있었다.

"안 잘 거야?"

"……자고 나면 아침이 오니까."

사토루는 아쉽다는 듯이 말했다.

"안 자고 있어도 아침은 오는데?"

"그 말이 맞네."

사토루는 동의한다는 듯 부드럽게 대답하면서도 여전히 눈을 뜨고 있었다.

"……."

나는 지금 사토루가 무슨 생각을 하는지 모른다. 혹시 전쟁터에서 있었던 일을 떠올리고 있는 건 아닐까. 그래서 잠들 수 없는 건 아닐까.

만약 그렇다면, 그가 지고 있는 마음의 짐을 조금이라도 나누고 싶었다. 집에 돌아와서도 혼자 무거운 짐을 끌어안고 있는 건 싫었다.

그래서 나는 내내 할 수 없었던 얘기를 처음으로 꺼내 보기로 했다.

"일이…… 힘들었어?"

지금껏 그 이야기는 한 번도 하지 않았다. 물으면 안 될 것 같아서 계속 피했다. 사토루는 그 생각에서 벗어나고 싶어서 이런저런 이벤트에 몰두하는 것처럼 보였다.

"……어, 힘들었어. 굉장히."

사토루는 끊어질 듯한 목소리로 대답하더니 담담하게 말을 이었다.

"그렇지만, 누군가는 꼭 해야 할 일이잖아."

목소리는 크지 않았지만 그 말에는 강한 의지가 실려 있었다.

"……."

나는 그때 예전에 사토루가 가르쳐 줬던 말이 생각났다.

평화란, 전쟁과 다음 전쟁 사이의 틈이다.

얼마나 의미심장했는지, 그 말은 지금도 내 가슴에 강하게 남아 있었다. 처음 그 말을 들었을 때는 칼로 가슴을 후벼 파는 듯한 느낌이었다. 평화는 그토록 연약하구나. 그토록 덧없는 것이구나.

사토루도 그 말을 처음 들었을 때는 나처럼 아니, 나보다 훨씬 더 큰 충격을 받았을 것이다. 그래서 그 후에 방향을 바꾸었겠지.

그 말이 사토루를 움직였다. 그렇게 그는 종군 사진 기자가 되었다.

"……이 일이 내 사명이라고 생각했거든."

사토루는 내 얼굴 대신 천장을 바라보며 말했다. 나는 과거형이 되어버린 그 말이 무엇을 의미하는지 알지 못했다. 약간의 후회도 포함되어 있는 걸까. 나는 사토루의 그 말을 알고 있었고, 받아들였다고 생각했다. 그런데 지금 사토루의 손이 떨리고 있었다. 나는 좀 전에 영화를 볼 때처럼 사토루의 손을 살포시 잡아 주었다.

하지만 사토루는 선뜻 내 손을 마주 잡지 않았다.

사토루는 눈을 천장으로 향한 채 말을 계속했다.

"지금은 모든 일에 사명이 존재한다는 생각이 들어. 아니, 일뿐만 아니라 모든 것, 모든 순간, 모든 사람에게……."

당장이라도 스러질 듯한 목소리였다. 나는 사토루의 손을 잡고 가만히 듣고 있었다. 사토루가 다시 내 손을 마주 잡아줄 때까지. 지금은 그저 그러고 싶었다.

"……마지막까지 제멋대로여서 미안해."

사토루의 목소리가 떨렸다. 마지막까지라니, 그게 무슨 뜻일까. 이제 종군 사진 기자 일을 그만하겠다는 걸까. 제멋대로여서 미안하다고 했다. 지금 하는 일을 선택한 것을 말하는 걸까. 그것도 아니면…….

"……."

이해할 수 없는 말들 때문에 가슴이 답답했다. 가슴속에 고인 응어리는 사라질 줄 모르고 계속 남아 있었다.

뭐라고 말하면 좋을까, 할 말이 바로 떠오르지 않았다. 지금은 무슨 말을 해도 정답이 아닐 것 같았다.

"사토루……."

그래서 나는 사토루의 이름을 불렀다.

그게 가장 좋을 것 같아서.

그런 다음 그를 꼭 안았다.

내가 할 수 있는 일은 그것밖에 없었기에.

이윽고 그의 손과 목소리가 떨림을 멈췄다.

한 번 더 사토루의 손을 잡았다.

이번에는 사토루가 내 손을 맞잡아 주었다.

우리는 그대로 아침이 올 때까지 깊게 잠이 들었다.

5

아침에 눈을 떠보니 침실에 사토루가 없었다.

"사토루……."

설마 어제 일이 한바탕 꿈이었던 걸까. 혼자가 되니 불현듯 그런 생각이 밀려들었다.

그렇지만 침실에서 나오자마자 바로 알아차렸다. 주방에서 덜그럭거리는 소리가 들렸다. 허둥지둥 그쪽으로 갔더니 사토루가 거기 서 있었다.

"잘 잤어?"

사토루는 내게 아침 인사를 건넸다. 하지만 이 상황 역시 꿈의 연속으로 느껴질 지경이었다. 왜냐하면 지금껏 사토루는 요리를 거의 하지 않았으니까. 음식을 만드는 사람은 나였고, 음식을 먹는 사람은 사토루였다.

그런데 오늘은 웬일로 사토루가 식재료며 조리 기구들을 꺼내 놓고 요리를 하고 있었다.

"……왜 그래, 안 하던 요리를 다 하고."

"가끔은 괜찮겠다 싶어서. 어제는 늦게 잠자리에 들었으니까 당신을 푹 자게 해주고 싶기도 했고. 그런데 문제가 좀 생겼어……."

사토루의 목소리에서 자신감이 사라지는 듯한 느낌이 든 건 결코 내 기분 탓이 아니었다.

"완전 망했어."

사토루는 그렇게 말하면서 흰색 접시에 담긴 요리를 보여줬다.

"이건……."

말을 하다 말고 내 목소리마저 자신감을 잃고 말았다.

"뭐야……?"

내 눈으로 직접 보고도 그게 뭔지 알아보기 힘들었다.

"게살 크림 크로켓."

대답을 듣고서야 그 물체가 이미 속이 터져버린 게살 크림 크로켓이란 것을 짐작할 수 있었다. 뭐라고 설명하면 좋을까, 끈적끈적한 크림과 새까맣게 타버린 튀김과 어렴풋이 흔적만 남은 게살이 섞여 있는 기이한 요리였다.

"풋."

아직도 그걸 게살 크림 크로켓이라고 주장하는 사토루가 웃겨서 그만 웃음이 터져 버렸다.

"게……, 후후, 하하하."

한번 웃기 시작했더니 멈출 수가 없었다.

"이게 게살 크림 크로켓……, 하하핫."

그런 나를 보더니 어느새 사토루도 같이 웃고 있었다.

덩달아 웃음이 터진 모양이었다.

"당신, 너무 심하게 웃는 거 아냐?"

하지만 그렇게 주의를 주는 사토루도 계속 웃었다. 우리의 웃음 포인트를 건드린 것이다. 정말 자연스러운 웃음이었다. 그 순간 평소 좀처럼 보기 힘든 사토루의 웃는 얼굴을 볼 수 있었다.

나도 카메라가 있었으면 좋았을걸. 그랬으면 이렇게 멋지게 웃는 사토루의 얼굴을 사진으로 남겨둘 수 있었을 텐데.

"앞으로 사람들의 웃는 사진을 찍고 싶으면 그때마다 이 게살 크림 크로켓을 만들면 되겠다."

"지금 나 놀리는 거지?"

사토루가 시무룩한 표정을 짓기에 곧바로 고쳐서 말했다.

"미안, 농담이야. 그런데……."

나는 가슴속에 끓어오른 생각을 사토루에게 꼭 전해주고 싶어서 말을 계속했다.

"당신은 이런 해프닝을 연출하지 않고도 사람들이 밝게 웃는 사진을 잘 찍으니까, 참 대단한 것 같아. 나는 절대로 못 해."

나는 사토루를 똑바로 쳐다보며 뒷말을 이었다.

"내내 신기했어. 자기는 별로 웃지도 않으면서 남들이 웃는 사진은 어쩜 그렇게 잘 찍는지. 난 당신이 지역 정보지에서 일할 때 찍은 사진이 굉장히 마음에 들었어. 당신은 말이지, 인물 사진을 참 잘 찍는 것 같아. 사진 속 사람들의 모습이 생생해. 사진 속에서도 계속 살아가고 있는 느낌이야. 과찬이라고 생각할지 모르지만, 내 생각은 정말 그래. 그런 느낌은 당신이 전쟁터에서 찍어 온 사진을 봤을 때도 똑같았어. ……솔직히 말하면 난 좀 불안했어. 외국에서 찍은 사진들과 지금까지의 사진들이 확 다르면 어쩌나 걱정스러웠거든. 그치만 실제로 보니까 당신이 찍은 사진은 그대로였어. 사토루는 전쟁터에서도 그곳에서 살아가는 사람들의 모습을 찍었으니까."

"아야……."

"그곳에서도 당신 눈앞에 살아 있는 사람들을 계속 찍은 거잖아. 난 그것만으로도 당신이 달라지지 않았다는 걸 알고 너무 기뻤어. 그래서 난 지금도 당신이 찍은 사진이 참 좋아."

가식이 섞이지 않은 솔직한 감상이었다. 온전히 사토루의 사진에 관해 이야기한 건 그때가 처음이었다. 그전까지 그런 말은 입에 올리지 않았다. 괜히 내가 한마디 했다가 사토루의 사진이 달라져 버릴까 봐 두려웠다.

하지만 지금은 말로 전하고 싶었다.

꼭 전해야 한다고 생각했다.

그것보다 더 중요한 건 없다는 생각이 들었다.

"당신이 말해줄 때까지는 전혀 몰랐어. 그렇게 중요한 것을……."

그 순간 사토루의 눈동자에서 눈물이 왈칵 쏟아졌다.

웃는 모습보다 더 보기 힘든 게 사토루가 우는 모습이었다.

"으윽……."

사토루가 내 앞에서 처음으로 눈물을 보였다.

이렇게 소년처럼 얼굴을 잔뜩 구기고 우는 모습을 보게 될 줄은 몰랐다.

"사토루……."

내 눈에 그 모습은 뭐라고 형언할 수 없을 만큼 사랑스러웠다.

정신을 차리자 나는 사토루를 껴안고 있었다.

"윽윽, 아야……."

지금 사토루가 어째서 이토록 오열하는지 나는 모른다. 여러 가지 일들이 떠올라서일 수도 있고, 온갖 기억과 감정이 넘쳐흘러서일 수도 있다.

왜 우는지는 몰라도 이렇게 안아줄 수 있다.

사토루가 느끼는 아픔과 고통이 조금이라도 가벼워지기를, 사토루의 마음에 한순간이나마 평화가 찾아오기를.

"게살 크림 크로켓은 요리에 젬병인 사람이 도전할 만한 레벨이 아니야."

이번에는 사토루가 한 번 더 웃어 주기를 바라며 그렇게 말했다.

"……그러게, 정말 무모했어. 중간부터는 나도 내가 뭘 만들고 있는지 모르겠더라."

"후후."

그 말을 듣자 또다시 웃음이 새어 나왔다. 좀 전에 봤던 처참하기 짝이 없는 게살과 크림이 섞여 있던 덩어리가 생각났기 때문이다.

"내가 만들어 줄게. 점심 식사로 딱이겠다."

시곗바늘이 11시 반을 가리키고 있었다. 늦게 잠자리에 드는 바람에 늦잠을 자고 말았다.

"……그래, 그러면 되겠다."

사토루는 시계를 쳐다보며 아쉽다는 투로 대답했다. 어쩌면 한 번 더 게살 크림 크로켓에 도전해 보고 싶었는지도 모르겠다.

그렇지만 이번에는 내가 시범을 보일 차례라는 생각이 들었다. 오늘 저녁이든 내일 점심이든 다시 도전할 기회는 얼마든지 있을 테니까.

"어머, 근데 밀가루랑 우유가 다 떨어졌네. 이러면 게살 크림 크로켓은 못 만드는데. 딱 보니까 한두 번 실패한 게 아닌데?"

내가 농담처럼 물었더니 사토루는 시계를 한 번 더 쳐다보고 나서 대답했다.

"……그럼 내가 근처 편의점에 가서 사 올게."

"고마워. 그럼 난 나머지 준비를 하고 있을게. 참, 과자 중에 컬(일본의 식품 회사인 메이지에서 옥수수를 주원료로 하여 만든 과자) 있으면 사다 줘. 갑자기 먹고 싶어졌어."

"알았어, 있으면 사 올게."

"돈은 챙겼어?"

"응."

"집 열쇠는?"

"챙겼어, 내가 앤 줄 알아?"

"게살 크림 크로켓 만든 거 보니까 신뢰도가 떨어졌거든."

"여러 가지 의미로 대실패였네."

그러고는 또다시 얼굴을 마주 보고 웃었다.

사토루의 웃는 얼굴을 한 번 더 볼 수 있었다.

"조심해서 다녀와."

"응, 갔다 올게."

한 번만 더.

"잘 다녀와."

"……고마워, 아야. 갔다 올게."

사토루는 현관문을 열고 밖으로 나갔다.

그 후로 그는 두 번 다시 집에 돌아오지 않았다.

6

그로부터 이틀 후, 사토루가 죽었다는 연락이 왔다.

중동의 한 분쟁 지역에서 그의 시신이 발견되었다.

꿈일까, 환상일까. 마치 여우에게 홀린 기분이었다.

그날 사토루는 편의점에 다녀오겠다며 집을 나간 후로 자취를 감추었다. 사토루는 이틀 동안 아니, 시간으로 따지면 전날 점심때부터 다음 날 점심때까지 24시간 동안 분명 나와 함께 이 집에 있었다.

그렇다면 24시간이라는 짧은 시간 동안 여기로 돌아왔다가 다시 분쟁 지역으로 가서 죽었다는 말인가. 그렇지만 뉴스에서는 사토루가 행방불명됐을 때 모습 그대로 발견됐다고 했다.

집에 돌아왔을 때 사토루가 중요한 연락은 이미 다 돌렸다고 말했었는데, 실제로는 그렇지 않았던 걸까. 그것도 아니면, 해외로 나가자마자 또다시 행방불명된 걸까.

하지만 아무리 생각해도 말이 안 됐다. 편의점에 다녀온다고 해놓고 그 길로 외국으로 나가 버리다니, 도저히 믿기지 않았다.

이 일련의 사건을 명확하게 설명해줄 수 있는 답은 끝끝내 떠오르지 않았다.

그러나 사토루가 남기고 간 이 수수께끼가 비통한 심경을 조금이나마 덜어준 건 사실이었다. 신기하고도 아스라한 감각이 가슴속에 계속 맴돌며 슬픔이 온몸을 휘감지 못하도록 지켜주는 것 같았다.

이 일은 아무에게도 말할 수 없었다.

사토루가 집에 왔었다고 말한들 누구 하나 믿어줄 것 같지 않았다.

혹시 나 혼자 환상 속에 빠져 있었던 건 아닐까.

사토루는 줄곧 분쟁 지역에 있었고, 일본에 돌아온 적이 없었다.

아마도 내가 본 건 오봉에 돌아온 혼령이었으리라.

사토루의 시신이 집에 돌아오고 장례식까지 무사히 치렀다. 하지만 영정으로 쓸 웃는 사진을 찾지 못했다는 사실이 못내 아쉬웠다. 늘 남의 사진을 찍어주는 사람이다 보니 이런 빈틈이 생겼다. 사토루가 웃고 있는 사진은 끝까지 찾지 못했다.

나로서는 후회가 남을 수밖에 없는 결말이었다.

마지막으로 얼굴을 봤던 그날, 사토루는 웃고 있었다.

그때 사진을 찍었더라면 얼마나 좋았을까.

그랬으면 방 안에 장식해둔 액자들 중에 그가 웃는 모습도 남아 있었을 텐데…….

그렇게 실의에 빠져 하루하루를 보내고 있는데, 누가 우리 집을 찾아왔다.

"안녕하세요."

지난번에 같이 불꽃놀이를 했던 소년이었다.

"저는 오늘 다시 집으로 돌아가요."

오봉 연휴가 끝난 뒤에도 내내 외가에서 지낸 모양이었다. 돌아가기 전에 일부러 인사하러 와주다니. 나는 애써 최대한 밝게 웃으며 소년을 맞이했다.

"고마워, 이렇게 인사하러 와줘서."

같이 불꽃놀이 했던 게 겨우 열흘 전쯤의 일인데도 아주 먼 과거처럼 느껴졌다.

지금은 그날을 떠올리지 말아야지. 생각만 해도 눈물이 터질 것 같았다.

소년은 인사를 마치고 나서도 곧바로 돌아가지 않았다.

그러더니 나를 향해 이렇게 말했다.

“이거, 지난번에 빌린 거예요.”

그 말과 함께 소년이 내민 물건을 본 나는 소스라치게 놀랐다.

참고 또 참았건만 목구멍에 걸린 눈물이 금방이라도 쏟아질 지경이었다.

“카메라…….”

사토루의 카메라였다.

생각해 보니 그날 소년의 목에는 카메라가 계속 걸려 있었다. 까맣게 잊고 있었다.

그런데 소년이 가져온 건 카메라만이 아니었다.

“이거 현상했어요.”

소년은 그날 불꽃놀이 하면서 찍은 사진을 꺼냈다.

“잘 찍었네…….”

야간 촬영이라 쉽지 않았을 텐데 사진이 선명했다.

어쩐지 사토루가 찍은 사진들과 분위기가 비슷했다.

사토루가 찍는 법을 가르쳐 줬으니 당연한 일이려나.

그 사진들 속에 사토루가 살아 있는 느낌이었다.

나는 그 사실이 기뻤다.

그리고 다음 순간, 사진 한 장을 발견한 내 입에서 탄성이 터져 나왔다.

"이건……."

사토루가 찍혀 있었다.

그냥 찍혀 있는 사진이 아니었다.

그가 웃고 있었다.

그 사진 속에서 사토루가 웃고 있었다.

"마지막 불꽃놀이……."

분수 불꽃을 갖고 놀 때였다.

다 같이 불꽃을 바라보던 그때, 빙그레 웃는 사토루의 얼굴을 카메라가 재빨리 포착한 것이다.

"사토루……."

아무리 찾아도 없던 사토루가 웃는 사진이 여기 있었구나.

"윽, 으윽……."

나는 그 사진을 손에 쥐고 보물처럼 꼭 끌어안았다.

지금은 나를 안아줄 상대가 없지만, 그래도 좋았다.

얇은 종이에서 따스한 온기가 느껴졌다.

거기에 사토루가 있는 것만 같았다.

"어서 와, 사토루……."

비로소 가슴속 깊은 곳에 묻어뒀던 그 말을 소리 내어 뱉을 수 있었다.

나는 사진만 챙기고, 카메라는 소년에게 선물로 주었다.

사토루도 그렇게 다음으로 이어지기를 바랄 것 같았다.

어쩌면 사토루는 불꽃놀이를 하던 날, 알면서도 소년에게 카메라를 들려 보낸 게 아니었을까.

소년이 찍어준 사토루의 사진은 그의 영정 삼아 방에 장식해 두었다.

사진 속의 사토루는 계속 웃고 있었다.

나는 그 사진을 보며 사토루와의 추억을 되새기곤 한다.

사토루는 그날 틀림없이 여기에 있었다.

꿈같은 시간이었다.

오직 나를 만나려고 찾아와 주었다.

마지막 작별 인사를 전하기 위해.

그것은 한여름이 보여준 환상인지 기적인지 알 수 없는 신비로운 사건이었다.

제4화

편지

1

"……다니구치 씨, ……다니구치 씨."

다니구치의 이름을 부른 사람은 옆에 있던 안내인, 도키와였다.

"무슨 일입니까, 도키와 씨."

다니구치는 도키와가 자신을 부른 까닭을 알 수 없었다. 전에도 갑자기 이름이 불린 적이 있지었만, 그때는 다니구치가 깜빡 졸고 있어서였다. 오늘은 분명히 눈을 뜨고 이곳 작별의 건너편을 찾아올 다음 사람을 기다리고 있었다.

그런데 이상하게도 아무리 기다려도 새로운 방문객이 오지 않았다. 다니구치는 기다리는 걸 싫어하지 않기에 따분하지는 않았지만 신경이 쓰였다. 어쩌면 옆에 있는 도키와는 기다림에 지쳤는지도 모르겠다.

그래서 세상 돌아가는 이야기라도 하려나 싶었는데, 도키와의 입에서는 다니구치의 예상과 전혀 다른 말이 흘러나왔다.

"다니구치 씨, 지금은 여기로 새로운 방문객이 찾아오지 않을 거예요."

"예? 대체 왜……."

다니구치는 당황했다. 지금까지 그런 일은 한 번도 없었다. 갑작스러운 말에 머리가 따라가지 못했지만, 도키와가 이내 그 이유를 설명해 주었다.

"다니구치 씨가 임무를 완수했기 때문입니다."

"제가, 임무를……."

"네, 얼마 전에 사쿠마 씨가 저를 찾아와서 그렇게 전해주고 갔습니다."

"그랬군요, 사쿠마 씨가……."

사쿠마는 다니구치의 후배 안내인이다. 또한 도키와의 여자 친구인 기사라기의 안내를 맡았던 사람이기도 하다. 다니구치에게 사쿠마는 오랜 시간 이곳에서 함께 지내면서 마음을 터놓을 수 있었던 몇 안 되는 동료였다.

사쿠마가 다녀간 건 몰랐지만, 이렇게 되리라는 건 예상하고 있었다.

다니구치는 사랑하는 아내 요코와 다시 만나기 위해 안내인이 되었다. 이제 그 바람을 이루었고, 도키와라는 후임도 찾았다.

지금까지 다니구치는 성심성의껏 일하며 안내인 임무를 무사히 마쳤다. 그러니 조만간 이날이 찾아오는 건 당연한 순서였다.

그때 도키와가 검지를 세우며 입을 열었다.

"마지막으로 부탁이 하나 있습니다."

조건이 아니라 부탁이라고 했다.

도키와가 말을 이었다.

"혼자서 안내하고 싶습니다."

"도키와 씨 혼자서 안내를……."

다니구치는 그렇게 중얼거리더니 아무런 망설임 없이 고개를 끄덕였다. 다니구치 역시 이런 기회를 기다리고 있었다. 도키와는 지금도 안내인 일을 훌륭하게 해내고 있다. 그러므로 앞으로 작별의 건너편의 안내인으로 자립하려면 그가 혼자 안내하는 모습을 자신이 끝까지 지켜보는 과정이 꼭 필요하다고 생각했다.

그런데 그다음에 이어진 말은 다니구치가 예상하지 못한 말이었다.

"음, 그리고 제가 안내할 사람은 벌써 정해졌습니다."

"예?"

도키와는 손바닥을 앞으로 내밀었다.

"다니구치 씨, 당신입니다."

"예에?"

도키와는 엷은 미소를 지으며 말했다.

"이번에는 당신이 마지막 재회를 할 차례입니다."

상상을 초월하는 말을 들은 다니구치의 입에서는 오래전에 선대 안내인에게 했던 말이 똑같이 튀어나왔다.

"뭐라고요?"

2

“도키와 씨, 무슨 말인지 이해가 잘 안 되는군요……. 왜 이제 와서 제가 마지막 재회를 하게 됐을까요? 저는 이미 여기서 제 아내 요코와 다시 만났고, 원래 마지막 재회는 1인 1회, 현세에서 지낼 수 있는 시간은 24시간이라는 조건이……”

거기까지 말하던 다니구치의 입에서 “앗” 하는 소리가 새어 나왔다.

다니구치는 그만 깜빡하고 놓칠 뻔했다.

“나는 현세로 돌아가서 마지막 재회를 한 적이 없어……”

그 말을 들은 도키와가 가볍게 고개를 끄덕였다.

“맞아요. 엄밀히 말하면 다니구치 씨는 이곳에 왔던 다른 사람들처럼 마지막 재회를 하지는 않았습니다. 이런저런 사정은 사쿠마 씨를 통해 들었습니다."

"과연, 그렇게 되는군요……."

상황 파악을 끝낸 다니구치는 지금까지의 일들을 다시 한번 회상해 보았다.

자신은 현세에서 요코와 결혼하고 2년이 지난 서른 살에 죽었다. 그 후 작별의 건너편으로 왔고, 여기서 선대 안내인을 만났다. 그에게서 마지막 재회에 관한 설명을 들었지만, 자신의 죽음을 알고 있는 요코와는 절대로 만날 수 없다는 규칙 때문에 현세로 돌아가는 것을 강하게 거부했다. 그리고 우여곡절 끝에 안내인 자리를 이어받아 긴 세월 동안 여기서 일하다가 죽어서 이곳을 찾아온 요코와 다시 만났다.

역시 다니구치는 마지막 재회를 하기 위해 현세로 돌아간 적이 없었다.

"그런 허점이 있었다는 건 전혀 생각을 못 했습니다."

"그러게요. 그렇지만 안내인으로서 여기서 오랜 시간을 보낸 다니구치 씨에게는 최적의 마지막 순간이 아닐까 싶은데요? 자신의 마지막 재회를 하기 위해 현세로 돌아가게 됐잖아요."

"그건 저도 동의합니다. 마치 옷장 깊숙이 잠들어 있던 상자에서 멋진 선물을 찾아낸 기분입니다. 그나저나 사소한 문제라고 할지, 걱정거리가 있는데……."

다니구치가 말끝을 흐리는 데는 그럴 만한 사정이 있었다.

"죽은 지 40년도 더 지났는데, 현세로 가서 만날 사람이 있을지가……."

여기서 안내인 일을 할 때도 누구를 만나러 가야 할지 몰라 망설이는 사람들을 여럿 봐왔다. 그렇지만 이렇게 시간이 많이 지난 경우는 이번이 처음이다. 예전에 알고 지냈던 이들과의 접점이 없어도 너무 없다 보니 다니구치 자신도 어떻게 하면 좋을지 고민스러웠다.

그러자 도키와가 미리 준비했던 것처럼 의견을 내놓았다.

"다니구치 씨, 잠시만 이분 말씀을 좀 들어봐도 될까요?"

"이분이라면……."

도키와가 손을 펼친 방향에서 다니구치가 사랑하는 아내 요코가 나타났다.

"요코……."

요코와 이곳에서 약 석 달 전에 다시 만났다.

다니구치가 도키와에게 인수인계를 마치고 나면 둘이 함께 최후의 문을 통과할 예정이었다.

다니구치와 얼굴을 마주한 요코는 가슴에 숨기고 있던 진실을 고백하듯 말문을 열었다.

"……실은, 당신이 꼭 만났으면 하는 사람이 있어요."

"내가 꼭 만났으면 하는 사람……."

다니구치는 짐작이 가지 않았다. 자신은 만나고 싶은 사람을 물었을 때 요코 말고 떠오르는 사람이 없었다. 그런데 요코에게는 다니구치가 꼭 만나길 바라는 사람이 있다니…….

요코가 다니구치를 향해 강한 눈빛을 던지며 말했다.

"당신 아들, 간지예요."

"내 아들……?"

그 말을 들은 다니구치는 눈이 휘둥그레졌다.

소스라치게 놀랐다. 믿을 수가 없었다. 2년이라는 결혼 생활 동안 두 사람 사이에는 자식이 한 명도 없었다. 끝까지 둘이 살았는데 난데없이 아들이라니…….

"무슨 소리야, 내 아들이라니……."

"당신이 사건에 휘말려서 죽었던 그날, 내가 몸이 안 좋았던 거 기억나요? 감기에 걸린 것도 아닌데 이상하다 싶었거든요. 그런데 그게 일종의 신호였고……."

"설마……."

다니구치의 머릿속에도 한 가지 가능성이 떠올랐다.

"……맞아요, 임신 2개월이었어요. 그때는 나도 얼마나 놀랐다고요. 그렇지만 당신이 떠나고 상심에 빠져 지내던 내 삶에 등불이 켜진 것 같았어요. 그래서 나는 혼자 아이를 낳고 키워야 하는 형편이었지만 망설이지 않았어요. 사실 그때는 아이의 존재가 내가 살아갈 이유가 되어 줬어요. 이 아이를 위해서라도 살아야지, 힘을 내야지, 마치 내 등을 살며시 밀어주는 것 같았어요. 태어나고 나서도 그 아이는 언제나 나와 당신을 이어주는, 무엇과도 바꿀 수 없는 소중한 존재였어요."

"요코……."

다니구치는 요코의 눈을 들여다보았다.

"이렇게 놀라운 일이……."

다니구치는 아직도 놀란 가슴이 진정되지 않았다. 그와 동시에 기쁨이 솟아났다. 이런 일이 일어날 거라고는 꿈에도 생각지 못했다. 지금까지 전혀 모르고 있었다. 자신도 모르는 사이에 아버지가 되어 있었다니…….

게다가 그 아이의 존재가 요코를 살게 했다고 했다. 그러니 이보다 더 기쁜 일은 없을 것 같았다.

요코는 천천히 다음 말을 이었다.

"그러니까 겐지 씨, 간지를 만나보지 않을래요? 이미 죽었다는 사실을 아는 사람은 만나지 못한다는 규칙에 걸리지도 않잖아요. 당신 얼굴은 어릴 때 사진으로만 봤는데, 지금 당신은 머리가 희끗희끗해서 못 알아볼 거예요. 또 곰곰이 생각해 보니, 간지가 당신을 알아보지 못할 이유가 하나 더 있어요."

그건 이토록 긴 세월이 빚어낸 결과였다.

"간지는 벌써 마흔이거든요. 겉모습만 보면 당신보다 나이가 더 많아 보일 거예요. 그러니까 두 사람이 만나더라도 자기보다 젊은 사람을 아버지라고 생각하지는 않을 거예요."

"그건 그렇겠군……."

다니구치는 서른에 세상을 떠났다. 다니구치가 죽고 얼마 안 있어 간지가 태어났으니 계산하면 그렇게 된다. 요컨대 아들이 자기보다 연상이고, 또 간지 입장에서 보면 아버지가 자기보다 연하인 셈이다.

"그리고 간지에게는 중학교 3학년짜리 아들도 있어요. 이름은 신지고요. 당신한테는 손자가 되겠네요."

"나도 모르게 아버지가 되고, 할아버지까지 되어 있었다니."

"네, 맞아요."

요코가 빙그레 웃었다. 정말이지 깜짝 선물 같다는 말밖에 나오지 않았다. 그런 사정을 전부 듣고 나니 다니구치는 그 두 사람을 절실히 만나고 싶었다.

다름 아닌 자기 아들과 손자니까.

그렇다고 망설임이 싹 사라졌다고 하면 거짓말이다.

"그런데 만나서 무슨 말을 하면 좋을까? 애들 입장에서 보면 나는 그냥 생판 남일 텐데……."

"그건 어떻게든 해결할 수 있지 않을까요?"

묵묵히 이야기를 듣고 있던 도키와가 불쑥 끼어들었다.

"다니구치 씨는 이곳에서 몇 명, 몇십 명, 몇백 명, 몇천 명이나 되는 사람들의 마지막 순간을 지켜봤으니까 문제없을 거예요. 분명 가장 멋진 마지막 재회를 할 수 있을 겁니다."

"도키와 씨……."

그 말이 맞았다. 지금까지 다니구치는 무슨 말을 하면 좋을지 몰라 마지막 재회를 망설이던 사람을 한두 명 본 게 아니었다. 그렇더라도 결국 소중한 사람을 만나러 가는 길을 선택하는 사람은 한 명도 빠짐없이 후회 없는 마지막 재회를 할 수 있었다. 그리고 그들이 해피 엔딩을 맞이할 수 있도록 뒤에서 도와줬던 이가 바로 안내인, 다니구치였다.

마지막 순간에 소중한 사람을 만나고 후회하는 사람은 없다.

다니구치의 등을 밀어주듯 도키와가 한마디 더 말을 보탰다.

"그리고 요코 씨도 함께 현세로 돌아갈 거예요."

"예?"

요코는 다니구치가 돌아보자 방긋 웃으며 고개를 끄덕였다. 이미 이야기가 돼 있었던 모양이다.

도키와는 요코가 현세로 돌아갈 수 있는 이유도 분명히 설명해 주었다.

"요코 씨도 작별의 건너편을 찾아와서 다니구치 씨와 재회했지만, 현세로 돌아간 적은 없으니까요. 그래서 아직 마지막 재회를 할 기회가 남아 있습니다."

"그렇군……."

설명을 듣고 보니 당연한 말이었다. 다니구치와 요코는 거의 같은 상황에 놓여 있었다. 그러므로 조건도 동일했다.

"그런데 요코 씨가 세상을 떠난 건 석 달쯤 전이고, 가족들이 모두 그 사실을 알고 있기 때문에 다니구치 씨처럼 아드님과 손자분을 만나러 가는 건 불가능합니다. 그렇지만 달리 하고 싶은 일이 있다고 하셔서 마지막 재회의 시간은 그쪽에 쓰기로 했습니다."

도키와가 거기까지 말하자 요코는 이번에도 고개를 끄덕였다.

그러고는 다니구치의 등에 살포시 손을 얹으며 말했다.

"여보, 나랑 같이 가요. 그리고 내 몫까지 아들과 손자를 실컷 만나고 와줘요."

"요코……."

요코의 올곧은 눈빛이 다니구치를 향했다.

그 뜻을 받아들이지 않을 수가 없었다.

다니구치 혼자만의 마지막 재회가 아니라 요코의 몫까지 포함되어 있었으니까.

"그럼 다시 한번 현세로 가볼까."

"네, 알겠습니다. 그럼 안내해 드리겠습니다."

도키와가 안내인다운 어조로 운을 떼더니 헛기침을 한 번 했다. 그런 다음 조금 긴장한 모습으로 손을 들어 손가락을 탁 튕겼다.

그러자 나무로 된 낡은 문이 눈앞에 떠올랐다.

"다행이다, 제가 해도 문이 나타나네요."

도키와의 얼굴에 안심한 기색이 떠올랐다. 그 모습을 본 다니구치도 눈썹을 내리고 빙긋 웃었다.

"이 공간도 도키와 씨가 어엿한 안내인이 됐음을 인정한다는 증거군요."

"감사합니다. 듬직한 선배님 덕분이에요."

"제게도 도키와 씨는 믿음직한 후배랍니다."

빈말이 아니라 진심 어린 칭찬이었다. 도키와가 후임이 되지 않았더라면 이렇게 멋진 마지막 재회의 기회는 허락되지 않았을 것이다.

다니구치는 새삼스레 이토록 타인의 감정을 잘 헤아리는 사람을 후임으로 뽑길 정말 잘했다고 생각했다.

"감사합니다. 그럼 한 번 더 설명해 드리겠습니다. 마지막 재회에 주어진 시간은 단 하루, 24시간입니다. 그리고 만날 수 있는 사람은 아직 자신이 죽었다는 사실을 모르는 사람뿐입니다. 몇 명을 만나든 상관없지만, 죽었다는 걸 아는 사람과 만나게 되면 바로 그 시점에서 현세에서 모습이 사라지고 이곳 작별의 건너편으로 돌아오게 됩니다. 중요한 규칙은 이 정도입니다. 혹시 질문 있으십니까?"

도키와가 싱긋 웃으며 말했다.

"아니, 괜찮습니다."

"네, 준비는 완벽해요."

다니구치와 옆에 있는 요코의 입술이 호를 그리며 올라갔다.

"그럼, 조심해서 다녀오세요."

다니구치와 요코가 고개를 끄덕였다.

이제부터 다니구치의 마지막 재회가 시작된다.

진정한 의미의 마지막 24시간.

다니구치는 요코를 호위하듯 손을 들더니 천천히 문을 열었다.

3

"아, 눈부시다……."

공원 벤치에서 눈을 뜬 순간 가장 먼저 든 생각이다. 이미 안내인 자격으로 여러 번 현세에 와 봤는데도 괜히 기분이 이상했다.

지금까지와는 다른 세상에 온 느낌이었다. 하나하나가 다 새로웠다. 강렬한 햇빛, 하늘을 가리는 소나기구름, 푸릇푸릇한 가로수, 나무에 매달려 우는 매미 울음소리, 여름 공기, 여름의 소리.

"여름이네요……."

옆자리에 앉아 있던 요코가 나와 같은 방향으로 눈길을 보내며 말했다.

"요코……."

이렇게 우리 두 사람이 현세의 공원 벤치에 함께 앉아 있는 것도 신기했다. 지금까지는 작별의 건너편에서만 대화를 나눌 수 있었기 때문이다.

그런 의미에서 요코와 40년 만에 다시 만난 셈이다.

망설임이 바로 사라지지는 않았다. 그렇지만 천천히 따스한 무언가로 바뀌는 것을 느꼈다. 왜냐하면 나는 이 시간을 계속 기다려 왔으니까.

"여름이네……."

그저 맞장구치듯 대꾸했을 뿐인데도 요코는 흐뭇한 표정으로 고개를 끄덕였다. 요코는 우리 둘이 같은 시간을 공유하는 것만으로도 행복해 보였다.

그대로 시간을 흘려보냈다. 둘이 함께 맛보는 여름 공기와 분위기를 마음껏 누렸다. 나도 느긋한 성격이지만, 생각해 보면 곁에 있는 요코도 다르지 않았다. 요코도 이런 시간을 이제나저제나 기다렸겠구나 싶었다.

하늘에 떠다니는 구름이 조금씩 모양을 바꿀 즈음, 요코가 문득 생각났다는 듯이 물었다.

"당신은 간지를 만나면 뭘 하고 싶어요?"

"하고 싶은 거? 글쎄……."

무언가가 머릿속에 번쩍 떠올랐다.

"……캐치볼. 아버지와 같이 캐치볼을 했었는데, 아들과도 꼭 해보고 싶어."

내 입으로 말하면서도 참 뻔한 대답이다 싶었지만, 그게 진심이니 어쩔 수 없었다. 이른바 누구나 동경하는 아버지와 아들의 모습이었다.

내 대답을 들은 요코는 고개를 작게 끄덕이며 말했다.

"참 좋네요. 그런데, 어쩌면 간지가 당신보다 못할지도 몰라요."

"설마, 그럴 리가."

"간지도 벌써 마흔이잖아요. 당신보다 운동 부족일 걸요? 나도 여전히 생기 넘치는 당신이 얼마나 부러운지 몰라요. 주름 없는 피부도. 후후."

요코가 농담처럼 말하며 소리 내어 웃었다.

아닌 게 아니라 새삼 그 사실을 깨닫자 기분이 이상했다. 지금부터 내가 만날 사람은 나보다 더 나이 들어 보이는 아들이다.

"다시 생각해 보니까, 그 나이에 캐치볼 하자고 하면 안 해줄 것 같아."

"그래요? 그렇지만 우리 손주 신지는 친구랑 종종 캐치볼을 하니까 글러브 같은 것도 갖고 있을 거예요."

"그런 문제가 아니라……."

전제 조건에서 심각한 장애물이 가로막고 있다는 사실이 되살아나자 스멀스멀 불안감이 밀려들었다.

"내가 아버지라는 사실을 밝히지 못하니까 진입 장벽이 너무 높아. 그런 상황에서 대화나 제대로 할 수 있을까. 생판 남이 말을 거는 건데. 캐치볼은커녕 말도 한번 못 붙여보고 끝나면 어쩌지……."

아무래도 잘될 가능성이 없어 보였다. 간지 입장에서 보면 별안간 낯선 사람이 말을 걸어오는 셈이다. 어지간히 머리를 쥐어짜야 할 것 같은데…….

그때 요코가 걱정할 것 없다는 듯 방긋이 웃으며 말했다.

"당신이 그런 말을 하면 어떡해요. 당신이 안내를 맡았던 사람들도 모두 그랬어요. 온갖 역경이 기다리는 험난한 여정이 시작될지라도 소중한 사람을 만나러 가는 것, 그게 바로 마지막 재회잖아요?"

요코는 천천히 다음 말을 이었다.

"그리고 당신이 그들의 이야기를 이어 왔잖아요."

"요코……."

그 말이 또다시 내 등을 밀어주는 것 같았다. 그리고 이제야 도키와 씨가 요코를 나와 같이 현세로 보낸 이유를 알아차렸다. 나를 돕고자 그렇게 해준 것이다.

역시 도키와 씨는 이미 버젓한 안내인이다. 골든리트리버 제이 씨를 안내했을 때도 아이 씨와 근사하게 재회할 수 있게끔 지략을 발휘했다.

그리고 요코도 더없이 좋은 사람이다. 비록 내 인생은 짧았지만, 인복은 참 많았다는 생각이 들었다. 이런 사람들과의 만남이 말로는 다 표현할 수 없을 만큼 고마웠다.

"……고마워, 꼭 만나고 올게. 그리고 나도 어떤 형태로든 소중한 마음을 전할게."

"네, 응원할게요. 나도 꼭 해야 할 일이 있으니까, 나중에 다시 만나요. 참, 여기 집 주소."

"알았어, 고마워."

요코가 집 주소를 적은 종이를 건네주었다. 나는 요코가 하려는 일이 뭔지 물어보지 않았다. 요코도 말해줄 성싶지 않았다. 무슨 일인지 밝히면 안내인인 내가 신경을 쓸까 봐 그럴 테지. 요컨대 나를 배려하는 것이었다.

"좋아."

이렇게까지 마음을 써주는데, 나도 나대로 내가 해야 할 일과 똑바로 마주하지 않으면 안 된다.

요코를 생각해서라도 아들을 꼭 만나야만 한다.

"그럼, 이따가 봐요."

"응, 이따가 봐."

그 말을 듣기만 해도 절로 웃음이 났다.

헤어지면서 다시 보자고 인사하는 것만으로도 행복감이 밀려왔다.

이렇게 생각하는 사람은 나뿐일까.

아니다. 틀림없이 요코도 그럴 거라고 생각했다.

4

"여기인가……."

요코가 건네준 종이에 적혀 있던 주소를 찾아갔지만, 막상 집 앞에 도착하니 주저하는 마음이 다시 고개를 쳐들었다. 뭐랄까, 극도로 떨렸다.

작별의 건너편을 찾아왔던 사람들의 마음을 가장 잘 이해할 것 같은 순간이었다.

나는 아들을 만나러 가는 경우지만, 다카오카 칠기(도야마현 다카오카시에서 생산하는 조각, 나전 등의 기법을 사용한 세련된 칠기) 장인이었던 아버지를 만나러 갔던 야마와키 씨도 이런 기분이었겠구나. 둘 다 부자지간이라는 점 때문에 겹쳐 보게 된다. 파밀리아를 만나러 가겠다고 했던 오바야시 씨도 마찬가지였겠지.

"……."

다른 이들의 심정을 이해한다고 해서 언제까지 이러고 있을 수는 없었다. 시간은 기다려 주지 않으니까.

지금껏 내 입으로 수없이 설명했다시피 현세에 머물 수 있는 시간은 단 하루, 24시간뿐이다.

"……."

치이치이칙, 하고 들려오는 유지매미 울음소리가 제한 시간이 가까이 닥쳐오고 있음을 알려주는 듯했다.

"휴……."

다음번에 가자.

지금 저 전봇대에 붙어 있는 매미가 울음을 그치는 순간 대문 앞까지 가서 인터폰을 누르는 거다.

결심했다.

치이치이칙.

그쳤다.

"좋아……."

한 걸음, 두 걸음 가까이 다가갔다.

그런데 인터폰까지 몇 걸음 안 남았을 때, 문제가 생겼다.

나는 물론이고 요코도 예상치 못한 사태였을 것이다.

"앗……."

다니구치라고 적힌 문패가 걸려 있는 집에서 남자아이가 뛰쳐 나왔다. 일순 간지인가 싶었다. 하지만 그럴 리는 없었다. 요코에게 들은 간지의 나이는 마흔이었다. 방금 나간 아이는 중학생쯤 되어 보였다. 그렇다면.

"저 아이가 신지……."

간지의 아들. 그리고 내 손자인 신지다.

요코가 중학교 3학년이라고 했으니 틀림없다. 더구나 생김새도 닮았다. 하지만 집에서 뛰쳐나오던 그 아이는 집 앞에 서 있던 내게는 눈길조차 주지 않았다.

어딘가 절박하면서도 생각에 잠겨 있는 듯한 얼굴이었다.

"……"

행여나 집에서 무슨 일이 있었던 건 아닌지 걱정스러웠다. 중학생이면 한창 사춘기다. 그래서 간지와 싸우기라도 했나…….

"……."

조바심이 나서 안절부절 어쩔 줄을 몰랐다. 작전을 바꾸기로 했다. 신지를 그냥 내버려둘 수는 없었다.

나도 신지가 달려간 쪽을 향해 달렸다. 오랜만에 달리는데도 몸이 가벼웠다. 이대로라면 금방 따라잡을 듯했다.

"헛."

별로 멀지 않은 곳에서 신지를 찾았다.

신지는 조금 전까지 요코와 내가 함께 앉아 있던 공원 벤치에 있었다.

"후우……."

숨을 고르며 신지를 유심히 살펴보았다. 신지는 혼자 벤치에 가만히 앉아 있었다. 뭔가 생각하는 것 같기도 하고, 풀이 죽은 것 같기도 했다.

지금 말을 붙여도 될까. 비록 순서는 달라졌지만, 나는 원래 아들뿐 아니라 손자와도 얘기를 나눠보고 싶었다. 그리고 신지에게 무슨 문제가 있다면 도와주고 싶었다. 진심으로 그렇게 생각했다.

그나저나 몇 번을 곱씹어 봐도 기분이 이상했다.

내게 아들에, 손자까지 있다니. 손자라고 해도 겉모습만 보면 열다섯 살 차이밖에 나지 않는다. 그렇지만 실제로는 긴 시간이 흘렀다.

그날 이후 40년 동안 별의별 일이 있었겠지.

"어떡하면 좋을까……."

아들에 이어 손자에게도 어떻게 말을 걸면 좋을지 고민스러웠다. 무턱대고 말을 걸었다가는 수상한 사람 취급할지도 모른다.

그나저나 아까는 인터폰을 누르고 나서 간지에게 뭐라고 말할 생각이었더라?

정해진 게 없었다. 목가적이라느니 천하태평이라느니 하는 말을 자주 듣긴 했지만, 계획성이 없어도 너무 없었다. 어쩌지, 어떻게 할까…….

다시 마음을 가다듬기 위해 무심결에 가슴에 손을 갖다 댔다.

"……."

그랬더니 뭔가가 잡혔다. 내가 항상 품고 다니는 것.

"이거다."

가슴 주머니에 맥스 커피가 들어 있었다.

나와 요코에게는 아주 각별한 음료수였다.

작별의 건너편을 찾아온 이들에게도 언제든지 건넬 수 있도록 늘 갖고 있었다.

"됐다."

캔 커피 두 개를 손에 쥐고 벤치를 향해 걸음을 옮겼다. 무슨 말을 할지도 머릿속에 정리해 두었다. 이제 태연스레, 수상한 사람이라는 느낌을 풍기지 않도록 조심하면서, 재치 있게 말을 걸면 된다.

"저기, 얘. 내가 좀 전에 실수로 두 개를 뽑았는데, 괜찮으면 하나 마실래?"

이제 됐다. 전혀 어색하지 않았다. 해프닝을 가장하며 접근했다. 이 시간에 우연히 여기 있었던 것처럼 말을 걸었다.

"그쪽은 누구……?"

꽤 경계하는 눈빛이었다. 그야 그렇겠지. 이런 데서 뜬금없이 말을 걸어오면 경계하는 게 당연하다. 하지만 여기서 뒤로 물러설 수는 없었다.

"나, 수상한 사람 아니야."

수상한 사람들이 가장 많이 할 법한 말이 튀어나왔다.

"……."

신지의 얼굴에 그늘이 졌다. 그런데 내 손에 들려 있던 캔의 상표를 보더니 표정이 확 풀어졌다.

"맥스 커피다."

"이 커피 알아?"

"석 달 전에 돌아가신 할머니가 좋아했거든요."

"돌아가신 할머니……."

요코를 말하는 거겠지. 이 자리에서 내가 누구인지 밝힐 수는 없지만, 앞으로를 생각해서 친분이 있는 척하기로 마음먹었다.

"혹시 그분, 요코 씨 아니니?"

"엇, 우리 할머니를 아세요?"

"응, 조금 아는 사이야. 사실 좀 전에도 분향하려고 댁에 찾아갔는데 거기서 네가 뛰쳐나오길래……."

순간적으로 생각해낸 것치고는 나쁘지 않았다. 이렇게 되면 이 다음에 집을 찾아가는 것도 자연스럽다. 간지와 대화할 가능성도

높아진다. 물론 먼저 집 안에 들여보내 준 다음의 이야기지만.

"아, 그랬구나. 빨리 말해주지 그랬어요. 어……? 근데, 아는 사이치고는 나이 차이가 너무 많이 나는데요? 할머니랑 어떻게 아는 사이예요?"

또다시 신지의 얼굴이 어두워졌다. 신지 말이 백번 맞았다. 외모만 보면 나이 차이가 심하게 난다. 그렇다면 공통점 같은 걸 말해야 할 것 같은데.

"시 모임에서……."

"시 모임?"

작별의 건너편에서 요코와 나눴던 대화를 기억해 내기 위해 빠르게 머리를 굴렸다. 생각해 보니 요코는 말년에 취미로 시 모임에 다녔다고 했다.

"하이쿠(17자로 된 일본의 짧은 전통 시) 모임."

"아, 하이쿠. 할머니가 거기 다녔던 거 기억나요."

"마, 맞아. 거기서는 남녀노소 불문하고 다 같이 친하게 지냈거든……."

간신히 위기를 넘긴 듯했다. 이제 커다란 산 하나를 넘었다. 이대로 좀 더 친분을 쌓아야 할 텐데…….

"그럼, 지금 하이쿠 하나 지어 보세요."

"지, 지금, 하이쿠를 지어 보라고?"

"네, 어서요."

"그런……."

신지가 터무니없는 요구를 했다. 아까보다 훨씬 큰 두 번째 산이 나를 기다리고 있었다. 요코가 하이쿠 모임에 다닌 건 맞지만, 나는 가본 적이 없다.

여기서 어설픈 하이쿠를 선보였다가는 하이쿠 모임에서 만났다는 말까지 의심받게 된다.

"……생각났어."

시간을 많이 잡아먹어서는 안 된다. 영감에 의해 머리에 떠오른 대로 읊었다.

"치이치이칙 벤치에 스며드는 매미 소리여."

결국 마쓰오 바쇼(하이쿠의 완성자라 불리는 일본의 시인)의 하이쿠를 베낀 엉성한 시를 짓고 말았다. 극성스럽게 울어대는 매미 소리를 온몸으로 받고 있다 보니 그가 지은 「고요하구나 바위에 스며드는 매미 소리여」라는 명시가 내 머리에 떠올라 버렸다.

신지의 반응이 궁금했다. 신지는 아직 한마디도 하지 않았다. 혹시 거짓말이라는 걸 알아차렸을까? 어떤 결론을 내렸을까.

"아, 그런 게 하이쿠구나."

"……그래."

단순히 하이쿠가 뭔지 궁금해서 지어 보라고 말을 꺼낸 모양이었다. 굳이 머리를 쥐어짤 필요가 없었다. 그렇지만 무사히 넘어 갔으니 그걸로 됐다.

그 후로 천천히 캔 커피를 음미하는 시간이 이어졌다. 그래서인지 매미 울음소리가 더 선명하게 들렸다. 이렇게 손자와 같이 벤치에 앉아 매미 울음소리를 듣는 날이 찾아오리라고는 꿈에도 생각지 못했다. 좀 전에도 이런 기분을 시로 표현했으면 좋았을 텐데, 하는 아쉬움이 남았다. 오늘 이 기적 같은 만남에 관해.

아까 신지가 집에서 뛰쳐나오던 모습이 또다시 마음에 걸렸다.

"……너 혹시 요즘, 고민 같은 거 있니?"

직접적으로 그렇게 물었다. 혹시라도 내가 할 수 있는 일이 있으면 도와주고 싶은 마음이었다.

"고민요? 음, 있긴 있죠. 가진 게 고민밖에 없어요."

"그렇게 고민할 게 많아?"

"중학생이면 누구나 다 그래요. 뭐, 제일 큰 고민은 진로지만."

신지는 그렇게 말하고는 몸에서 힘을 빼고 하늘로 시선을 옮겼다. 표정이 밝지 않았다. 아까도 그 문제를 놓고 간지와 이야기했던 걸까.

"확실히 진로는 고민이 되지. 고등학교 입시 때문에?"

"고등학교도 고민이지만, 실은 그다음이 더 문제예요. 아버지가 나중에 무슨 일을 하고 싶은지 지금부터 생각해 보라고 해서……."

"그건 꽤 어려운 문제구나……. 지금은 장래 희망이나 해보고 싶은 일 같은 게 없어?"

"애매해요. 보람이나 안정성 같은 면을 생각하면 여러 가지가 있긴 한데, 아직은 딱 이거다 싶은 걸 못 정하겠어요."

"그렇구나……."

그 말만 들어도 신지가 자기 나름대로 고심하고 있다는 걸 알 수 있었다. 무책임하게 내팽개치지 않았다. 그것만으로도 나는 마음이 놓였다.

"사명감을 가지고 몰두할 수 있는 일을 찾으면 좋겠구나."

"사명감……."

보람이라는 말을 입에 올리길래 조언해 주고 싶은 마음에 그렇게 말했지만, 신지에게는 전혀 와닿지 않는 듯했다. 하기야 나도 신지 나이 때는 사명감이라는 말에 공감하지 못했을 것이다.

"형은 지금 무슨 일해요?"

신지가 물었다. 하얗게 센 머리카락을 보고도 할아버지가 아니라 형이라 불러줘서 기뻤지만, 곧바로 대답이 나오지 않았다. 뭐라고 대답하면 좋을까.

"……주로 사람들을 안내하는 일을 하고 있어."

"가이드 같은 거예요?"

"뭐, 쉽게 말하면 그렇지."

“그 일을 하면서 사명감을 느껴요?”

“그래, 사명감이 막중하지. 수많은 사람을 만나면서 그들을 위해 내가 할 수 있는 건 다 하고 있어. 그러면서 여러 가지 귀중한 것들을 깨닫기도 하고.”

“와, 좋겠다. 나도 그런 일을 찾고 싶은데……. 그럼 아버지한테 잔소리 안 들어도 되고.”

간지가 아들의 장래를 걱정한다는 건 그만큼 아들에게 애정이 있다는 증거일 것이다. 나는 신지에게 힘이 되어주고 싶어서 말을 계속했다.

“앞으로 여러 가지 어려움이 있겠지만, 천천히 생각해 보고 마음에 드는 일을 선택하면 될 거야.”

“천천히 결정하면 좋겠지만, 그럴 상황이 아니라서요.”

지나치게 태평한 나의 나쁜 버릇이 나와 버렸다.

신지는 천진하게 웃으며 말했다.

“그렇지만 이런저런 얘기를 털어놓고 나니까 마음이 후련해졌어요. 고마워요.”

내 눈을 마주 보며 그렇게 말하는 모습에 나도 모르게 가슴이 뭉클했다.

“…….”

보고 싶다.

착하게 잘 자란 이 아이를 보니 점점 더 간지를 만나고 싶은 마음이 커졌다.

어떤 말이라도 좋으니 간지에게도 마음이 후련해질 만한 말을 해주고 싶었다. 이제 와서 내가 거창한 뭔가를 남겨줄 수 있으리라고 생각하지는 않지만, 조금이라도 힘이 되어주고 싶었다.

그때 공원에 한 남자아이가 나타났다.

"신지."

신지를 부르며 옆으로 다가왔다.

"아, 왔구나."

신지와 친구인 듯했다. 나이도 비슷해 보였다. 짧은 머리가 어울리는 잘생긴 소년이었다.

"그럼 이만, 우리는 지금부터 운동할 거라서요."

"운동?"

"예, 몸을 움직이면 기분도 상쾌해지니까요."

신지 나름의 스트레스 해소법 같았다. 친구로 보이는 아이도 몸을 굽혔다 폈다 하며 준비 운동을 시작했다.

그리고 신지는 이 말도 빠뜨리지 않았다.

"참, 형, 우리 집에 갈 거죠? 아버지한테 연락해 놓을 테니까 지금 가면 돼요. 갑자기 찾아가더라도 아까 그거 가져가면 할머니 지인이라고 믿어줄 거예요."

아까 그게 뭘 말하는지 바로 알아차렸다.

"이거 말이지?"

캔 커피를 손에 들고 보여주자 신지는 또다시 환하게 웃으며 엄지를 치켜세웠다.

5

다시 집 앞으로 돌아왔다. 가슴 주머니에는 맥스 커피 하나가 아직 남아 있다. 신지가 미리 연락해 두겠다고 했는데도 막상 인터폰을 누르려니 가슴이 떨렸다. 간지와 처음으로 만나는 자리이기에.

다만 엄밀히 말하면, 요코의 배 속에 있을 때 우리는 이미 만난 사이라고 할 수도 있다. 그렇더라도 나는 아직 그 아이의 얼굴도 보지 못했다. 이런 마지막 재회의 순간이 내게 찾아오리라고는 꿈도 꾸지 않았다. 배 속에 있을 때 이후로 처음 만난다. 지금, 그 순간을 맞이하려 하고 있다.

"당신이 신지가 말한 사람입니까?"

대문을 열고 나온 사람이 내게 물었다.

"예, 맞아요……."

눈앞에 있는 사람은 내 아들 간지가 틀림없다.

겉모습은 이미 장성한 성인이었다. 당연했다. 벌써 마흔이니까. 내 나이를 넘어섰다. 그래도 얼굴에 나와 요코의 흔적이 남아 있는 걸 보니 무척 기뻤다. 진짜 내 아들이 눈앞에 있다.

"어머니 일로 오셨죠? 시 모임에서 만나셨다고."

"아, 예, 맞습니다. 요코 씨에게 신세를 많이 졌거든요."

그렇게 말하면서 맥스 커피를 꺼내 보이자 간지가 "들어오세요" 하며 나를 집 안으로 들여보내 주었다.

"……."

맥스 커피가 통행증이나 마찬가지였다. 첫 번째 관문을 통과하자 마음이 확 놓였다. 이때까지 내 모습이 사라지지 않았기 때문이다. 요코는 괜찮을 거라고 거듭 말했지만, 나는 걱정을 떨쳐내지 못했다.

하지만 이렇게 직접 만나보니 외모는 내가 더 젊어서 나를 아버지라고 생각할 가능성은 없을 듯했다. 또 간지는 생전의 내 모습을 자기 눈으로 본 적이 한 번도 없었다.

"이쪽으로 오세요."

"……실례하겠습니다."

현관을 지나 간지가 나를 안쪽 다다미방으로 안내했다. 그곳에

요코의 영정이 있었다. 요코는 아직 죽은 지 석 달밖에 지나지 않았다. 좀 전까지 같이 대화를 나누던 사이인지라 기이한 느낌이 들었지만, 이 광경을 보니 요코가 정말 이 세상에 없다는 것을 실감할 수 있었다.

"요코……."

나는 불단에 캔 커피를 올리고 두 손을 모았다. 속으로 이따가 다시 보자고 빌 때도 기분이 이상했다.

영정을 한참 바라보고 있었더니 간지가 방으로 들어왔다.

"이것 좀 드세요."

간지가 내놓은 건 차가운 컵에 얼음과 함께 담겨 있는 맥스 커피였다.

"이건……."

"저희 어머니는 차갑게 해서 마시는 맥스 커피를 좋아하셨어요. 이렇게 마시면 커피 우유 같다고 하시면서."

이렇게 마시는 방법도 있었구나. 마셔보니 정말 커피 우유와 비슷했다.

"과연……."

차가운 얼음이 단맛을 잡아줘서 한결 깔끔한 맛이 났다. 한여름에 어울리는 맛이었다.

"……."

그 뒤로 대화가 이어지지 않았다. 나는 무슨 말을 어떻게 꺼내면 좋을지 생각하느라 끙끙대기만 했다. 또한 눈앞에 간지가 있다는 사실 때문에 마음이 자꾸만 들썩거렸다.

“신지와 이런저런 얘기를 하셨나 봅니다.”

결국 간지가 먼저 입을 열었다.

“아, 네에, 어쩌다 보니…….”

그 이야기는 나도 확실히 전하고 싶어서 말을 계속했다.

“신지는 아주 착한 아이더군요. 비록 잠깐이긴 했지만, 얘기를 나눠보니 정말 그런 생각이 들었어요. 저까지 마음이 따뜻해지는 기분이었습니다.”

솔직한 마음을 털어놓았다. 거기에는 간지를 칭찬하고 싶은 마음도 적잖이 들어 있었다. 나는 바르게 잘 자란 신지를 보고 감동했다.

그렇지만 간지의 얼굴에서는 기쁜 빛을 찾아볼 수 없었다.

“그랬습니까……. 참 다루기 어려운 나이라서요. 아내와는 대화를 많이 하는 모양이던데, 저와는 서로 부딪칠 때가 많아서…….”

“그러시군요…….”

나는 신지가 겸손을 떠느라 그렇게 말하는 줄 알았다.

그런데 그다음에 이어진 이야기를 듣고 나는 할 말을 잃었다.

“……실은, 저는 태어날 때부터 아버지가 안 계셨어요. 그래서 제대로 아버지 노릇을 못 할 때가 많은 것 같습니다. 아버지는 이럴 때 이렇게 하셨지, 같은 경험이 전혀 없거든요."

커피가 들어 있는 컵 속의 얼음이 달그락 소리를 내며 녹았다.

"지금까지 고생도 참 많이 했습니다. 편모 가정이라고 비웃음을 사기도 했고, 가정 형편이 썩 좋지 못했거든요. 제가 어릴 적에 어머니는 죽어라 일만 하셨습니다. 그렇다고 돌아가신 아버지한테 불평불만을 늘어놓을 수도 없고. 제 얼굴도 못 보고 돌아가셨으니까요. 아버지라면 어떻게 해야 하는지를 배우지 못했습니다."

차마 입술이 떨어지지 않았다.

"……."

뭐라 말할 자격이 없다는 생각이 들었다. 간지의 말이 백 번 천 번 옳았다. 나는 아버지 노릇을 전혀 하지 못했다. 아무것도 가르쳐 주지 못했다. 그렇기에 지금은 아무 말도 할 수 없었다.

그런데 간지는 이 침묵을 다른 의미로 이해한 모양이었다.

"죄송합니다. 일부러 여기까지 와 주셨는데 전혀 상관없는 이야기만 늘어놓았네요."

"아니, 그런 게……."

상관없는 이야기라니, 절대로 그렇지 않다.

오히려 누구보다 깊이 관여된 이야기였다.

하지만 지금 내가 할 수 있는 일은 하나도 없었다.

겨우 이런 생각이나 하려고 현세로 다시 돌아온 건가.

"그런 게 아니에요……."

눈앞에 놓인 영정 속의 요코만 미소를 머금고 있었다.

6

집을 나오고 부터는 어디로 가야 할지 갈피를 잡지 못했다. 이런 전개가 펼쳐지리라곤 생각지 않았다. 내 인생의 마지막 순간에는 해피 엔딩이 기다리고 있을 거라고 멋대로 믿고 있었다.

하지만 현실은 만만치 않았다. 너무도 비참했다.

간지의 말에 흠잡을 데가 없어서 대꾸할 말을 찾지 못했다. 나는 아버지로서 아무것도 해주지 못했다. 지금까지 내게 간지라는 아들이 존재한다는 사실조차 모르고 살았다. 그런 내가 아버지로서 아들에게 뭔가를 남겨줄 수 있을 리가 없었다.

"……."

터덜터덜 걷다 보니 아까 그 공원으로 되돌아왔다. 그런데 거기에는 신지를 만나러 왔던 남자아이만 남아 있었다.

"안녕."

내가 살짝 고개를 숙이자 상대도 고개를 숙이며 인사했다.

"신지는 잠깐 음료수 사러 갔어요."

"그렇구나, 근데……."

신지가 이 자리에 없다 보니 어색한 공기가 우리를 에워쌌다. 아까도 이 아이와는 한마디도 하지 않았다. 어쨌거나 신지가 돌아올 때까지 시간을 메워야 한다는 생각에 내 쪽에서 먼저 질문을 던졌다.

"아까 운동한다고 하던데, 무슨 운동을 하는 거니?"

"그건 저 때문에 신지가 같이 어울려 주는 건데요……."

그러면서 아이는 이야기를 이어갔다.

"저는 지금까지 괴롭힘을 많이 당했는데요, 어떤 사람을 만난 후로 강해져야겠다고 결심했어요. 그래서 머리카락을 자르고 저를 괴롭히던 애들한테 대들어도 봤는데, 역시 쉽지 않더라고요. 그때 옆 반의 신지가 우연히 보고 저를 도와줬어요."

아이는 목소리는 작았지만 강한 의지가 담긴 어조로 뒷말을 이었다.

"제가 강해지고 싶다고 했더니 신지가 같이 운동하자는 말을 꺼냈고, 그때부터 가끔 공원에서 만나 근력 운동 같은 걸 하게 됐어요."

"그런 일이 있었구나."

그 이야기를 듣자 또다시 신지가 여간 대견스럽지 않았다.

간지는 아버지 노릇을 어떻게 해야 할지 모르겠다고 말했지만, 신지를 훌륭하게 키웠다. 이것만 봐도 간지가 얼마나 좋은 아버지인지 알 수 있었다. 나는 이런 사실을 알게 된 것만으로도 현세로 돌아오길 잘했다는 생각이 들었다.

"유키히로!"

그때, 아까 봤던 장면을 반대로 재현하듯 신지가 친구의 이름을 부르며 다가왔다. 그런 다음 손에 들고 있던 포카리스웨트 하나를 유키히로라고 불린 아이에게 건넸다.

그 순간 나는 한 가지 사실을 깨달았다.

"네 이름이 유키히로……."

"네, 그런데요."

살짝 놀란 눈동자가 나를 응시했다. 나는 언젠가 그 눈빛을 본 적이 있었다.

유키 씨다. 히카리 씨가 마지막 순간에 구했던 남자아이. 머리를 짧게 자르고 이목구비도 날카로워져서 알아보지 못했다. 분명 이 모습은 그가 성장했다는 표시였다.

그 후로 유키 씨는 히카리 씨의 당부대로 강한 사람이 되고자 애쓰면서 건강하게 지내고 있었다.

"어떻게 이런 일이……."

얼결에 목소리가 새어 나왔다.

이런 곳에서 사람과 사람의 인연이 이어지다니. 그리고 그 인연의 실이 신지에게로 연결되어 이 아이를 돕게 될 줄은 상상도 못 했다

감격스러운 상황을 앞에 두고 가슴이 찡했다. 그런 사정을 꿈에도 모르는 신지는 수상하다는 듯이 나를 보며 물었다.

"형, 벌써 왔어요? 엄청 빨리 왔네요."

신지는 하나 남은 음료수 뚜껑을 따서 마시기 시작했다.

"이런저런 사정이 있어서."

"혹시 아버지랑 무슨 일 있었어요? 오늘은 엄마도 집에 없고, 아버지는 좀 까다로운 데가 있어서……."

"뭐, 무슨 일이 있었다고 할 수도 있고……."

반대로 아무 일이 없었다고 해도 틀린 말이 아니었다. 애초에 대화를 거의 못 나눴으니 부자간에 정을 나눌 시간도 없었다. 아버지로서 어떻게 해야 하는지 배우지 못했다던 그 말이 지금도 내 가슴을 푹 찌르고 있었다.

"아아, 나도 이따 집에 가서 또 진로 얘기할 생각하니까 우울해지네요. 내심 형이 아버지 기분을 좋게 만들어 주길 기대했는데."

"도움이 못 돼서 미안하다……."

신지에게는 신지 나름대로 내 도움을 받으려던 속셈이 있었다. 집을 뛰쳐나온 것도 사실이고, 실제로 간지와 다투기도 했겠지. 그래서 기분 전환도 할 겸 여기서 유키히로와 운동을 했던 것이다.

"유키히로, 넌 진로 결정했어?"

유키히로는 신지의 물음에 남은 음료수를 입속에 마저 털어 넣고 나서 대답했다.

"난 학교 선생님이 되고 싶어. 나 같은 아이를 도와줄 수 있는 교사가 되고 싶거든."

"뭐야, 제법 그럴싸하잖아. 아, 답답하다……."

"근데, 신지, 지난번에는 해보고 싶은 일이 있다고 했잖아."

유키히로의 말에 신지가 반응을 보였다. 조금 난처해 보이는 얼굴이었다.

"그렇긴 한데, 막상 아버지와 같은 일을 하고 싶다고 말하려니까 쑥스러워서. 제대로 생각한 거 맞냐고 잔소리를 퍼부을 것 같고."

"아버지와 같은 일……."

의외였다. 신지가 하고 싶어 하는 일 중에 아버지와 같은 길이 포함되어 있다니. 사춘기 남자아이가 쉽게 꺼낼 수 있는 말은 아니겠다 싶었다. 그래도 한편으로는 참 기특하다고 생각했다.

아버지의 뒷모습을 똑똑히 지켜보며 자랐다는 뜻이다. 역시 간지는 내가 못 해준 것을 신지에게 제대로 해주고 있었다.

"궁금해서 그런데, 아버지는 어떤 일을 하시니?"

두 아이의 이야기를 듣다가 무심코 던진 질문이었다.

그런데 신지가 들려준 대답은 내 상상을 초월했다.

"우체국에 다녀요. 전에는 우편물 배달도 했었고요."

"우체국……."

내가 하던 일이었다.

내가 현세에서 하던 일이 우편물을 배달하는 일이었다.

그리고 내 아들도 나와 같은 일을 하고 있었다.

"어떻게 그런 일이……."

"그게 그렇게 놀랄 일이에요? 별로 특이한 직업도 아닌데."

특이하진 않지만 놀라웠다. 나는 여전히 그 사실을 완전히 받아들이지 못했다.

간지는 아무것도 모른 채 우연히 우체국을 선택했을까. 아니면 우체국에서 같이 일했던 요코가 간지에게 내 얘기를 해줬을까. 그리고 간지가 그 일을 선택했다는 건…….

"그런데, 신지 넌 왜 우체국에서 일하고 싶은데?"

내가 물었다. 그러면 간지가 우체국에 들어간 이유를 알 수 있을 것 같아서였다.

신지가 그 답을 가르쳐 주었다.

"우체국에서 일하는 사람의 사명은 편지를 전달하는 것이다, 라는 말을 들었거든요."

"우체국에서 일하는 사람의 사명……."

"좀 거창하게 들리지만, 왠지 멋지다는 생각이 들었어요. 그래서 나도 나중에 우체국에서 일하고 싶어요."

그건 내가 자주 하던 말이었다.

물론 요코의 앞에서도 입에 올리곤 했다.

우체국은 늘 다양한 우편물을 취급한다.

그중에서도 편지는 특별한 의미가 있다.

편지는 우체국에서만 보낼 수 있기 때문이다.

내가 하던 말이 요코를 통해 간지에게 전해졌을까.

그래서 간지가 그 일을 선택한 걸까.

그렇다면 이보다 더 기쁜 일은 없을 것 같았다.

오랜 시간 이어져 있던 진심이 지금 이 순간, 내 가슴 밑바닥으로 흘러 들어온 듯한 기분이었다.

"……윽."

벤치에서 일어났다.

그리고 냅다 달리기 시작했다.

"아니, 형!"

신지가 당황한 모양이다. 그야 그렇겠지. 대화를 하다 말고 공원을 뛰쳐나와 달리고 있으니 말이다. 그렇지만 나는 신지가 부르는 소리를 듣고도 멈추지 않았다. 내 다리는 온전히 간지가 있는 곳을 향해 나아갔다.

"저기요, 형!"

뒤에서 신지가 따라왔다. 하지만 나는 그러거나 말거나 계속 달렸다. 마지막 힘을 다 짜내어 아까보다 더 빠르게 달렸다.

몸에서 삐걱거리는 소리도 나지 않았다. 오히려 가뿐할 따름이었다.

빌린 몸이어서 가능한 것인지도 모르지만, 몸이 지금의 내 기분과 매끄럽게 맞물리며 움직이는 것 같았다.

온몸 구석구석에서 뜨거운 감정이 솟구쳤다.

나는 이제야 아들의 진심을 깨달았다.

아버지로서 아무것도 남겨주지 못했다고 생각했다.

우리를 이어주는 것은 없다고 생각했다.

하지만 그런 내 생각이 틀렸을지도 모른다.

이 순간에 이르기까지 모든 것은 이어져 있었다.

그게 아니면 뭐라 설명할 길이 없었다.

지금까지도 그랬다.

사람과 사람의 연결이 다양한 것들을 만들어 냈다.

산다는 건 누군가와 연결되는 것이다.

지금 이 순간 내가 이 세상에 살아 있음을 절실히 느꼈다.

"헉, 헉……."

보고 싶다.

한 번만 더, 간절히 보고 싶었다.

내게 남은 마지막 하루.

나는 남은 시간 안에 다시 한번 간지를 만나 이야기해야 했다.

조금이라도 더 많은 것을 남겨줘야 했다.

그게 오늘 내가 이곳에 온 이유니까.

"허억, 허억……."

집 앞에 도착하니 마침 간지가 밖에 나와 있었다.

벌써 해가 기울고 땅거미가 지고 있었다. 간지는 길에 물을 뿌리려고 나와 있었던 것 같았다.

"무슨 일이세요?"

간지가 낯빛이 달라진 나를 보더니 물었다. 지금 이 상황이 전혀 이해되지 않을 것이다.

그렇지만 나는 더 이상 마음 쓸 여유가 없었다.

이 기회를 놓칠 수 없었다.

내게 허락된 시간은 단 하루.

지금이 진짜 마지막 재회였다.

"저기……."

나는 한 가지 제안을 하고 싶었다.

아들을 만나면 꼭 같이하고 싶었던 평범한 소원.

"캐치볼 안 하실래요?"

그러자 간지의 눈이 야구공처럼 동그래졌다.

7

"내가 어쩌다 이러고 있는 건지……."

간지가 하얀 공을 쳐다보면서 궁얼거렸다. 처음에 간지는 느닷없는 제안을 거절했지만, 내 뒤를 따라온 신지가 "나도 캐치볼하고 싶어요"라고 말해준 덕분에 결국 고집을 꺾었다. 이번에도 신지에게 도움을 받았다. 마지막 재회에서 신지가 정말 큰 힘이 되어 주었다.

"자, 갑니다."

신지가 흰색 공을 허공을 향해 던지자 세 사람의 캐치볼이 시작되었다. 시계방향으로 신지, 간지, 나의 순서로 공을 던졌고, 그 옆에서는 유키히로가 우리를 지켜보았다.

"나이스 볼."

나는 간지가 던진 공을 받았다. 그리고 그 공을 다시 신지를 향해 던지면서 말을 꺼냈다.

"신지, 아까 했던 진로 얘기, 아버지께 말씀드려 보는 건 어때?"

"예?"

신지는 난감한 표정으로 간지에게 공을 던졌다.

"진로 얘기는 뭐야?"

간지는 내게 공을 던지면서 신지를 재촉했다.

"신지, 어서 말씀드려 봐."

"어서 말씀드려 보라니……."

신지는 내가 던진 공을 받고 나서 잠시 꼼짝도 하지 않고 서 있었다.

그러다가 결심이 섰는지 표정을 바꾸며 입을 열었다.

"진로 말인데요, ……나중에 아버지처럼 우체국에서 일하는 것도 괜찮을 것 같아요."

"우체국……."

"아, 아직 정식으로 결정한 건 아니고, 그 길도 괜찮을 것 같다고요."

신지는 거기까지 이어서 말한 다음에야 공을 던졌다.

오렌지색 하늘로 날아올랐던 흰색 공이 간지의 글러브 안으로 빨려 들어갔다.

"그렇게 쉽게, 아무나 할 수 있는 일이 아니야."

"알아요. 그렇지만 아버지도 그 일을 하고 있고, 전에는 할아버지와 할머니도 같은 일을 했으니까 내가 그 뒤를 잇는 것도 좋을 것 같다고 생각했어요."

"그랬군……."

그렇게 중얼거리던 간지는 선뜻 뒷말을 잇지 못했다. 공을 거머쥔 채 신지가 한 말을 곱씹어 보는 듯했다.

기뻤으리라. 나도 그 마음을 잘 알았다. 왜냐하면 나도 좀 전에 같은 기분을 맛보았으니까. 이어간다는 것이 이토록 기쁜 일이라는 걸 이제야 알았다.

그다음에 입을 연 사람은 신지였다.

"난 이제 할 말 다해서 속이 시원해졌으니까, 나머지는 두 사람한테 맡길게요. 유키히로랑 하는 운동이 아직 안 끝났거든요."

말을 마친 신지는 글러브를 벗고 옆에서 기다리던 유키히로 쪽으로 걸어갔다. 간지는 신지의 말에 당황한 기색을 보이며 말했다.

"이 녀석아, 그러면 나랑 이 사람이랑 둘이 해야 되잖아."

"처음부터 형이 캐치볼하자고 한 사람은 아버지였으니까, 잘됐잖아요."

"잘됐다니 뭐가……."

"그럼, 갔다 올게요!"

신지는 반강제로 유키히로를 끌고 가버렸고, 그 자리에는 나와 간지만 남았다.

신지는 이번에도 내게 마음을 써준 게 분명했다. 내가 간지에게 할 말이 있다는 걸 눈치챈 것이다. 정말이지 타인의 마음을 잘 헤아리는 아이였다. 그리고 여러모로 도움이 됐다. 신지가 없었더라면 오늘 여기까지 절대로 오지 못했을 것이다.

"다 큰 어른 둘이 캐치볼이라니……."

간지는 그렇게 투덜거리나 싶더니 내게 공을 던졌다.

"유명한 프로 야구 선수 중에도 우리랑 나이가 비슷한 사람이 생각보다 꽤 있으니까 괜찮아요."

"나이를 먹을 대로 먹은 남자들이 프로 야구 선수도 아닌데 이러고 있으니까 이상한 겁니다."

그 말도 틀린 말은 아니었다. 그런데 왠지 모르게 웃음이 나는 말이었다.

지금은 집 안에 있을 때보다 훨씬 자연스럽게 말을 이어갈 수 있었다. 이렇게 몸을 움직이는 게 효과가 있는 건지도 모르겠다. 예전에 들었던 친해지고 싶은 사람이 있으면 같이 운동을 하라던 말이 기억났다.

그렇지만 이런 시간이 정말로 찾아오리라고는 생각지 못했다.

아버지와 아들, 우리 둘이 캐치볼을 하다니.

"우체국에서 근무하시나 봐요."

"예에. 아까 신지가 말했다시피 부모님도 그랬고, 진짜 신지까지 우체국에서 일하게 되면 삼 대째가 되는 거죠."

"……그러시군요."

비록 내가 당사자이지만 지금은 모른 척해야 할 때라고 생각했다. 행여 간지가 뭔가 알아차리기라도 하면 나는 당장 이 세상에서 사라져 버릴 테니까.

"아까 태어나시기도 전에 아버님이 돌아가셨다고 하셨는데, 왜 똑같은 길을 걷게 되셨습니까?"

짐짓 나와는 상관없다는 듯이 질문을 던졌다.

남인 척해야만 직접적으로 물어볼 수 있는 질문이었다.

"어머니가 아버지 얘기를 자주 해 주셨어요. 어머니는 아버지를 진심으로 사랑하셨거든요. 어머니도 우체국에서 일하셨는데, '우체국에서 일하는 사람의 사명은 편지를 전달하는 것이다'라고 아버지가 하신 말씀을 저한테 해주셨어요. 그런데 그 말이 제 마음에 계속 남았습니다. 정신을 차려보니 어느덧 아버지와 같은 길을 걷고 있더라고요. 틈만 나면 신지한테도 그 얘기를 했으니까, 어쩌면 아버지의 그 말씀이 신지의 진로를 결정한 건 아닌지……, 그런 생각이 듭니다."

그대로였다.

간지가 우체국 직원이 된 이유도 신지와 똑같았다.

내가 한 말이 계기가 되었다.

아무리 그래도 그렇지, 말 한마디가 이토록 긴 시간을 통해 이어지고 전해지다니, 참으로 놀라울 따름이었다.

그렇지만, 정말 그랬다.

작별의 건너편을 찾아온 사람들이 내게 가르쳐 주었다.

진심은 닿는다는 것을.

간지가 말을 이어 나갔다.

"게다가 부모님이 우체국에서 만나서 결혼하셨기 때문에, 저희 집은 다른 집보다 편지에 특별한 의미를 가지고 있습니다. 어머니가 제게 자주 말씀하셨어요. 보내지는 못해도 아버지께 편지를 써 보라고. 그래서 해마다 제 생일이 되면 아버지께 편지를 썼습니다. 보내는 건 불가능하니까, 일기 같은 내용이 대부분이었지만요."

"아버지께 편지를……."

때마침 공이 내 글러브를 향해 날아왔다.

나는 곧바로 그 공을 돌려주지 못했다.

"그런 일이……."

그렇게 근사한 편지가 존재할 거라는 생각은 하지 못했다.

나는 간지가 태어나기 전부터 이 세상에 없었지만, 간지는 줄곧 내게 편지를 써주었다.

나는 그 편지를 받지 못했다.

그렇지만 간지가 편지를 써줬다는 사실만으로도 더할 나위 없이 기뻤다.

“참 멋진 편지군요.”

눈동자 안쪽에 차오르는 눈물이 넘치기 전에 다시 간지에게 공을 던졌다. 마음을 강하게 먹지 않으면 금방이라도 눈물이 쏟아질 것 같았다.

“편지는 보내지 못하더라도, 한 번이라도 좋으니 이렇게 아버지와 캐치볼을 해보고 싶었습니다. 너무 평범한 소원일지 모르지만…….”

그 평범한 소원마저도 나와 같았다. 그렇지만 간지는 그 소원이 이루어졌다는 사실을 알지 못할 것이다. 나만 혼자 그 기분을 느끼고 있었다.

안타까웠다. 이 상황을 어떻게 해보고 싶었다.

대체 어쩌면 좋을까.

이대로 내가 누구인지 숨긴 채 캐치볼을 계속해야 하는 걸까. 이것만으로도 충분히 행복하다며 돌아가야 하는 걸까.

나는 지금까지의 일들을 솔직하게 모두 털어놓고 싶었다. 이대로 낯선 타인을 흉내 내는 건 그만하고 싶었다. 하지만 그렇게 되면 내 모습은 흔적도 없이 사라지고 만다.

어떻게 할까, 어쩌면 좋단 말인가…….

온갖 잡념이 머릿속을 휘젓는 가운데, 내 시야 가장자리로 공원 옆을 지나가는 한 남자의 모습이 보였다.

"앗……."

도키와 씨였다.

도키와 씨는 내 쪽을 향해 살며시 손을 흔들었다. 그러더니 검지를 세우고 강아지와 산책하는 어떤 사람을 가리켰다.

나는 그 동작이 무엇을 의미하는지 바로 알아차리지 못했다.

그런데 자세히 보니 도키와 씨의 손가락이 가리키는 건 사람이 아니라 강아지였다.

마치 손짓으로 내게 사인을 보내는 것 같았다.

저 손짓의 의미는…….

"제이 씨."

그날의 마지막 순간이 머릿속에 되살아났다.

그러고 보니 그때 도키와 씨는…….

"저기, 제안을 하나 하고 싶은데요."

내 머릿속에 떠오른 생각은 도키와 씨가 넌지시 알려준 그것과 같았다.

터무니없는 생각이다.

서로 잘 알지 못하는 두 사람이 캐치볼을 하는 것보다 더 황당

무계한 제안이다.

성공할 가능성은 거의 제로에 가깝다.

그렇지만 털끝만 한 가능성이라도 남아 있다면 희망을 걸고 싶었다.

아니, 이 방법 외에 다른 선택지는 없었다.

부딪쳐 보는 수밖에 없다.

내게는 이 순간이 간지와 함께하는 마지막 시간이니까.

"그냥 시험 삼아 해보자는 건데요."

"시험?"

한 박자 뜸을 들였다가 간지를 향해 말을 이었다.

"……제가 아버지라고 생각하고 캐치볼을 하는 건 어떻습니까?"

내 말에 간지의 눈이 휘둥그레졌다.

저물어 가는 석양보다 훨씬 더 동그란 눈동자였다.

"마, 말도 안 되는 소리……."

간지는 어처구니없다는 표정을 보였다. 당연한 반응이다. 제이 씨와 아이 씨 때처럼 잘 풀릴 턱이 없었다.

하지만 그럴지라도 지금부터는 나 혼자의 힘으로 어떻게든 헤쳐 나가야 했다.

누구에게도 도움을 청할 수 없다.

내 힘으로 나의 마지막 순간을 해피 엔딩으로 이끄는 것 외에 달리 방법이 없었다.

"주위도 어두워졌겠다, 분위기만이라도 그렇게 느낄 수는 없을까요?"

"무슨 소릴 하는 겁니까, 적당히 좀 하세요."

"하지만 그렇게 하면 아버지와 캐치볼을 하고 싶었던 꿈을 이룰 수 있잖아요."

"말이 된다고 생각해요? 분위기만이라니……."

간지가 다시 내게 공을 던졌다.

나는 간지에게 공을 던지기 전에 한마디 더 말을 보탰다.

"그럼 눈을 감고 해보면 어떻겠습니까?"

"눈을 감으라고요?"

"예."

"뭐, 그 정도야……."

간지는 바로 직전에 너무 황당한 부탁을 해서인지 이번에는 쉽사리 받아들였다.

나는 천천히 읊조리듯 물었다.

"당신이 평소에 머릿속으로 상상하던 아버지의 목소리는 어땠습니까?"

"아버지의 목소리……."

"한번 떠올려 보세요. 당신 아버지는 어떤 사람이었을까요?"

"아버지는……."

간지는 눈을 감은 채 생각에 잠긴 표정을 지었다.

머릿속으로 아버지 목소리를 떠올리다 보면 내 목소리와 겹칠 수도 있다.

나는 그 가능성을 기대했다.

하지만 잠시 후에 눈을 뜬 간지는 이렇게 말할 뿐이었다.

"애초에 이런 건 부질없는 짓이에요."

힘없이 그 한마디만 내뱉었다.

처음부터 쉽지 않은 이야기였다.

그렇기에 이제 끝이구나 싶었다.

"그런데……."

간지가 다음 말을 이었다.

"이유는 모르겠지만, 당신과 이야기하고 있으면 왠지 아련한 느낌이 든다고 해야 하나, 기분이 이상해집니다."

"아……."

"당신은 특이했어요. 처음 만났는데도 처음 만난 사람 같지 않고. 우리 집에 처음 왔을 때부터 그랬어요. 신지와 금방 친해지고, 남에게 절대 말하지 않는 제 가정사까지 털어놓게 되고. 대체 이게 무슨 일인지……."

간지의 마음이 흔들리고 있었다.

지금, 틀림없이 무언가가 전해지고 있다.

그건 아마도 진심일 것이다.

눈으로는 볼 수 없는 진심이 우리 사이를 연결하고 있다.

마음이 흔들리는 건 나도 마찬가지였다.

그래서였을까.

절대 입 밖에 내면 안 된다고 조심했던 말을 나도 모르게 조용히 속삭이고 말았다.

"간지……."

"앗……."

해는 벌써 기울었고, 청잣빛의 몽환적인 세계가 펼쳐졌다.

어슴푸레한 어둠 속에서 나와 신지는 서로를 똑바로 바라봤다.

"아니, 어떻게 제 이름을……."

간지는 깜짝 놀란 표정이 되나 싶더니 억지로 납득한 듯한 얼굴빛으로 돌아왔다.

"아아, 그랬군요! 신지한테 들으셨군요. 정말 간 떨어질 뻔했습니다. 휴……."

간지는 스스로 답을 냈지만 당황한 기색이었다.

자기가 내린 답이 마음에 들지 않는 것이다.

조금 전에 스스로 고백했던 이상한 느낌이 아직 남아 있는 듯했다.

나는 이 시간을 헛되이 보내지 않기 위해 말을 계속하기로 결심했다.

지금 내게는 24시간이 필요하지 않았다.

단 몇 분만으로도 최고의 해피 엔딩을 맞이할 수 있다.

"지금까지 폐를 끼쳐서 미안하다, 간지."

내 말에 간지가 대답했다.

"뭐 하자는 겁니까, 재미없는 농담은 그만하세요……."

나는 말을 이었다.

"40년간 옆에서 어머니를 지켜줘서 정말 고맙다."

"장난치지 마시라고요……!"

나는 계속 말했다.

"네 어머니는 네가 살아갈 이유였다고 하더구나."

"거짓말……."

"정말 고맙다. 난 지금까지 아버지 노릇을 한 번도 못 했지만."

"말도 안 돼……."

"그래도 이렇게 만나니 좋구나."

"아니……."

"너를 만나서, 정말 좋았다."

"……."

간지가 지금 나를 어떻게 생각하는지는 알 수 없다.

내 몸이 아직 사라지지 않았다는 것은 간지의 마음이 여전히 흔들리고 있다는 증거가 아닐까.

하지만 지금은 이대로 괜찮다고 생각했다.

나는 내 가슴속 깊은 진심을 간지에게 분명히 전했으니까.

나는 천천히 간지에게 다가갔다.

손에 쥐고 있던 공을 간지의 글러브 안에 넣었다. 캐치볼이 끝났다는 신호였다.

"간지……."

나는 바로 코앞까지 와서야 간지의 두 눈에 눈물이 그렁그렁한 것을 알아차렸다.

"이 눈물은, 그런 게 아니고……."

강한 척하는 간지의 머리 위에 살며시 손을 올렸다.

그대로 어린아이에게 하듯 간지의 머리를 쓱쓱 쓰다듬자 빗방울 같은 눈물이 뚝뚝 흘러내렸다.

"끅끅……."

나를 바라보는 간지의 눈동자에 지금까지와는 다른 무언가가 담겨 있는 듯했다.

소중한 무언가를 바라보는 듯한 눈빛이었다.

나는 간지의 그 눈빛이 나를 향하고 있다는 사실만으로도 더없이 행복했다.

이런 순간이 찾아올 줄이야.

이런 마지막 재회가 나를 기다리고 있을 줄이야.

나는 이 순간을 영원히 잊지 못할 것이다.

"……이제 갈 시간인 것 같구나."

나는 제한 시간이 언제 끝나도 상관없게끔 그렇게 말했다.

그러자 간지가 내 얼굴을 정면으로 응시하며 입을 열었다.

"마지막으로, 한 번만 더……."

한 번만 더.

"이름을 불러 주실래요?"

이름을.

"……간지."

나는 간지의 눈동자를 똑바로 바라보면서 마지막 말을 전했다.

"태어나 줘서 고맙다."

아빠에게

잘 지냈어요? 나는 잘 지내고 있어요. 엄마가 아빠에게 편지를 써보라고 해서 쓰고 있어요. 오늘은 내 생일이에요. 나는 이제 다섯 살이에요. 아빠는 몇 살이에요? 뭐가 갖고 싶어요? 나는 게임기가 갖고 싶어요. 그렇지만 엄마랑 맛있는 케이크를 먹었으니까 괜찮아요. 아빠도 케이크 좋아해요?

간지 올림

아빠에게

안녕하세요. 올해도 아빠에게 편지를 써요. 오늘 여덟 살이 됐어요. 엄마가 생일 선물로 게임기를 사 줬어요. 내가 기뻐하니까 엄마도 따라 웃어서 기분이 좋았어요. 아빠가 같이 있었으면 더 좋았을 것 같아요. 만약에 아빠를 만나게 되면, 학교 이야기랑 엄마가 만든 맛있는 케이크 이야기랑 하고 싶은 말이 잔뜩 있어요.

간지 올림

아빠에게

오늘부터 나는 열두 살이에요. 내년이면 초등학교를 졸업하고 중학생이 돼요. 조금 떨리지만 기대도 돼요. 아빠는 중학생 때 무슨 동아리에 들어갔어요? 나는 아직 생각 중이에요. 사실 엄청 고민하고 있어요. 야구부에 들어가고 싶은데, 머리를 빡빡 깎는 건 싫거든요.
이번 생일에는 선물을 못 받았어요. 여름 방학 때 외가에 갔다가 이웃집 형이랑 불꽃놀이를 했는데, 그날 카메라를 받았기 때문이에요.
그런데 그 형이랑 결혼한 누나가 내가 찍은 불꽃 사진을 보고 울었어요. 어른이 우는 모습을 처음 봐서 조금 놀랐지만, 누나가 다시 웃어줘서 다행이었어요. 아빠도 눈물을 흘린 적이 있어요?
솔직히 말하면, 나는 어릴 적에 엄마가 혼자 우는 모습을 몇 번 본 적 있어요. 왜 울었는지는 모르지만, 나도 조금 슬펐어요. 중학생이 되면 엄마가 매일 웃을 수 있도록 착한 아들이 될게요.

간지 올림

아버지께
눈 깜짝할 사이에 중학생 시절도 끝날 것 같아요. 마지막 대회 때는 현(県) 대회에 출전하지 못해서 너무 아쉬웠어요. 모처럼 머리도 짧게 잘랐는데, 결과가 이러니까 마음이 참 복잡해요.
그렇지만 이제부터는 수험생 모드에 돌입해야 해요. 우리 집은 사립 학교에 갈 형편이 안 되기 때문에 공립 학교에 가야 하거든요. 고등학생 때는 동아리 활동 대신 아르바이트를 할 생각입니다.

가끔 나는 왜 아버지가 없는지 궁금할 때가 있습니다. 마지막 대회 때 다른 친구들은 아버지 어머니가 함께 응원하러 왔었거든요. 여름 대회에서 마지막 타석에 들어선 사람은 나였어요. 그때 아버지가 응원하러 와 줬더라면 홈런을 쳤을지도 모르잖아요.

아니, 그건 아닐 거예요. 내 실력이 부족했던 거죠. 죄송해요, 편지에 이상한 이야기만 써서. 어차피 이 편지는 절대로 보낼 수 없으니까 그냥 내가 쓰고 싶은 말을 쓰면 된다고 생각했습니다.

간지 올림

아버지께

열여덟 살이 되었습니다. 진로 때문에 머리가 아플 지경이에요. 대학은 가기로 결정했지만, 아직 어떤 직업을 가질지는 결정하지 못했습니다. 이런 상태로 입시를 치러도 될지 매일 고민이에요.

아버지와 어머니는 우체국에서 근무했다면서요? 두 분이 만난 곳도 우체국이고요. 어머니는 특별한 이유가 있어서 우체국에 취업한 건 아니라고 했어요. 우연히 그렇게 됐다고 하더라고요. 참 어머니답죠? 아버지는 별다른 이유가 있었는지 궁금해요. 다음에 어머니께 물어볼게요.

이 세상에는 참 다양한 직업이 있는 것 같아요. 깊이 생각해 보고 선택해야겠어요. 그러기 위해서라도 지금은 시험공부를 열심히 해야겠죠. 하늘에서도 합격을 위해 기도해 주세요.

간지 올림

아버지께

스무 살이 되었습니다. 이제 술도 마실 수 있는 어엿한 성인이에요. 실은 오늘 어머니께 선물을 드렸어요. 꽃다발과 선물로 지금까지 키워주신 감사의 마음을 전하고 싶었거든요.

오랜만에 어머니가 우는 모습을 봤어요. 하지만 기뻐서 운다고 했기 때문에 저도 기분이 좋았습니다. 덕분에 행복한 생일이었어요.

어머니는 요즘 아버지 얘기를 자주 하세요. 그렇다고 슬픈 기억을 끄집어내는 건 아니고, 셋이 같이 한잔할 수 있으면 좋겠다고 웃으면서 이야기하니까 걱정하지 마세요.

아버지도 저와 같이 술을 마시고 싶으신가요? 저는 그러고 싶어요. 어릴 때는 같이 캐치볼을 하고 싶다, 뭔가 열심히 했을 때 머리를 쓰다듬어 주면 좋겠다, 같은 생각을 했었어요.

하지만 이제 어른이니까 그런 말은 못 할 것 같아요. 한 사람의 훌륭한 어른이 되기 위해 열심히 노력하겠습니다.

간지 올림

아버지께

작년에는 깜빡하고 편지를 못 썼습니다. 제 생일이라는 것을 잊을 정도로 정신없이 바빴거든요. 지금은 사회인 2년 차예요. 아직 일이 익숙하지 않아서 큰일입니다.

실은 저도 우체국에 들어갔어요. 아버지와 어머니의 뒤를 이었다고 해야 할지, 어머니에게 들은 아버지의 말씀이 제 선택에 큰 영향을 줬습니다. 우체국에서 일하는 사람의 사명은 편지를 전달하는 것이라는 그 말이 가슴에 확 와닿아서 해마다 (작년만 빼고) 썼던 이 편지도 특별한 의미가 있는 것 같은 느낌이 들었어요. 어릴 때부터 어머니가 편지를 쓰라고 했던 이유도 어렴풋이 알 것 같아요. 그렇게 생각하면 제가 우체국 직원이 된 것도 어쩌면 필연일지도 모르겠습니다.

그리고 사실, 지금 결혼을 전제로 사귀는 사람이 있습니다. 웃음이 많고 착한 사람이에요. 벌써 어머니와는 굉장히 사이가 좋답니다. 아버지가 살아 계셨더라면 어머니처럼 친해졌을까요? 진전이 있으면 내년에 또 말씀드리겠습니다.

간지 올림

아버지께

거두절미하고 말씀드릴게요.

지난번 편지로 말씀드렸던 사람과 결혼하게 됐습니다.
아버지는 스물여덟에 결혼하셨고, 저는 스물다섯이니까 조금 이른 감이 있네요.
아내가 될 사람의 이름은 '유카'입니다. 이름처럼 다정하고 착한 사람이에요. 지금도 여전히 잘 웃습니다. 저는 그다지 입담이 좋은 편이 아닌데, 유카가 잘 웃어줘서 같이 있으면 평범한 제 일상도 밝게 빛나는 것 같아요. 이런 간질거리는 말은 유카에게 직접 할 수 없으니까 이렇게 편지에만 써둘게요.
지금은 마음이 붕 떠 있는 것 같아요. 다시 마음을 다잡고 열심히 살아갈게요.
또 편지 쓰겠습니다.

간지 올림

아버지께
올해는 제게 놀라운 변화가 일어났습니다. 아들이 태어났거든요. 제가 벌써 아버지가 되다니, 기분이 이상합니다. 솔직히 말하면 불안감도 없지 않습니다. 제가 아버지 노릇을 잘할 수 있을까요…….
불평하는 건 아니지만, 어릴 때부터 어머니하고 둘만 살아서 제게는 본보기로 삼을 아버지가 없잖아요. 그래서 앞으로 어떻게 하면 좋을지 걱정입니다.
그렇지만 한 가지 확실한 건 아이를 사랑으로 키우겠다는 마음입니다.
이름은 '신지'라고 정했습니다. 여자아이였으면 아내 이름을 따서 꽃 화(花) 자를 넣으려고 했는데, 사내아이여서 저와 아버지 이름에서 따온 맡을 사(司) 자를 넣었습니다.
앞으로는 제 생일이 아닌 아들 생일에 편지를 쓸 생각입니다.

간지 올림

아버지께

신지가 다섯 살이 됐습니다. 어찌나 빨리 자라는지 놀라울 따름입니다. 신지가 제 생일날 처음으로 편지를 써 줬습니다. 얼마나 기뻤는지 모릅니다.
역시 편지는 좋은 거구나, 싶더군요. 사진이 시간의 조각이라면, 편지는 마음의 조각이 아닐까 하는 생각이 들었습니다.
어릴 적에 받은 카메라는 지금도 사용하고 있습니다. 신지가 열두 살이 되면 선물로 주려고요. 제게 사진 찍는 법을 가르쳐 줬던 형도 그렇게 이어지는 걸 바랄 것 같거든요.
선물은 받을 때도 기분이 좋지만, 줄 때도 기분이 좋습니다.
해마다 아들의 생일은 제게도 행복을 선사해 줍니다.

간지 올림

아버지께

신지가 벌써 열다섯 살이 됐습니다. 한창 사춘기여서 여간 속을 썩이는 게 아닙니다. 저도 그때는 그랬을까요? 오래돼서 이제 기억이 잘 안 납니다. 신지는 건방진 소리를 많이 해서 그렇지, 지금도 여전히 착한 아이입니다. 같이 어울리는 친구를 보니 그런 생각이 들더라고요.

그나저나 부자 사이는 참 묘한 것 같습니다. 이런 말은 얼굴을 마주하고는 절대로 못 하겠더라고요. 왜 그런지 몰라도 얼굴을 보면 솔직하게 표현을 못 하겠어요. 그래서 편지가 있는 건지도 모르겠네요. 평소에 말하지 못하는 것도 편지로는 전할 수 있으니까. 그런 의미에서도 편지는 역시 좋은 것 같습니다. 저도 벌써 마흔이나 먹었지만, 이 편지에는 솔직한 마음을 적으려고 합니다. 어차피 아무도 읽지 않을 편지니까요.

요즘 들어 왠인지 아버지 생각을 자주 합니다. 그래봤자 얼굴도 잘 모르니까 머릿속으로 그려볼 뿐이지만요. 웃을 때는 어땠을까, 목소리는 어땠을까, 하면서 말입니다.

그런 생각을 하게 된 건 어쩌면 어머니가 시한부 선고를 받고 병원에 입원해 있기 때문인지도 모르겠습니다. 이상하게도 어머니는 조금도 슬퍼 보이지 않습니다. 저세상에서 아버지가 기다리고 계시잖니, 하고 웃으면서 말씀하십니다. 그러니 옆에 있는 제가 맥이 빠질 지경이에요. 그렇지만 아버지 덕분에 어머니가 그렇게 생각할 수 있다면, 그것도 참 멋진 일인 것 같습니다. 어머니는 아버지를 정말 많이 사랑하셨구나, 하는 생각이 들거든요. 그러니까 만약에 어머니가 돌아가시면 그때는 꼭 아버지를 만났으면 좋겠어요. 40년 전에 너무 이른 이별을 해야 했으니까 인생의 마지막 순간에는 그런 세계를 맞이하는 것도 괜찮지 않을까요?
문득 나는 아버지를 만나면 어떻게 할까, 하는 생각이 들었습니다. 실제로 만나보지 않으면 모르겠지만, 얼굴을 보면 밉살스러운 말을 할 수도 있겠다 싶어요. 솔직해지는 건 쉽지 않으니까요. 그렇지만, 실제로 만나게 되면 딱 하나 부탁이 있습니다.
제 이름을 불러 주세요.

간지, 하고 어머니가 지어준 소중한 이름을 아버지가 불러주면 좋겠습니다.
얼굴 보고는 할 수 없는 말을 이 편지에 써봅니다.
역시 편지는 좋은 것 같아요. 또 편지하겠습니다.
앞으로도 계속.

간지 올림

에필로그

Time To Say Goodbye

마지막 재회가 끝났다.

다니구치는 작별의 건너편으로 돌아왔다.

마지막 재회는 24시간을 다 채우지 못하고 끝이 났지만, 다니구치의 마음에는 후회가 한 조각도 남아 있지 않았다.

현세에서 돌아온 뒤로 다니구치는 이 자리에서 내내 편지를 읽었다.

지금까지 간지가 자기 생일날마다 다니구치에게 썼던 편지였다. 그 편지를 전해준 사람은 요코였다.

애초에 아버지에게 보낼 수 없는 편지를 쓰라고 제안한 사람이 젊은 시절의 요코다. 요코는 언젠가 그 편지를 다니구치에게 전해줄 수 있기를 바랐다. 하릴없는 바람인 걸 알면서도.

그런데 마지막 재회의 시간이 요코의 바람이 이루어질 수 있는 기회를 만들어 주었다.

요코가 현세로 간 것도 이 편지 때문이었다. 타이밍 좋게 다니구치가 간지와 신지를 집 밖으로 데리고 나가 주었다.

요코를 도와준 이는 도키와였다. 그 후에 도키와는 다니구치가 제이를 떠올릴 수 있도록 신호를 보내 주기도 했다.

요컨대 다니구치와 요코와 도키와가 각자의 역할을 완수했기 때문에 진심을 전할 수 있었다. 그렇게 해서 서로의 마지막 소원이 이루어졌다.

"고마워, 요코……."

편지를 다 읽은 다니구치는 눈물을 흘리며 옆에 있는 요코에게 감사의 마음을 전했다.

그리고 한 사람 더, 소중한 사람의 이름을 불렀다.

"고맙다, 간지……."

지금 이 순간, 지난 40년간의 진심이 이어진 것만 같았다.

다니구치는 실감했다.

사람의 마음은 기나긴 시간이 흐른 뒤에도 전해진다는 것을.

그 마음을 전해준 것은 편지였다.

마지막 순간에 이런 행복이 기다리고 있을 줄은 상상도 못 했다.

"그리고 도키와 씨……, 당신에게도 고맙다는 말을 꼭 해야겠습니다."

다니구치는 도키와를 정면으로 바라보았다.

"당신이 안내해준 덕분에 마지막으로 이토록 값진 시간을 보낼 수 있었습니다. 정말 고맙습니다."

"……그건 안내인에게는 더없이 영광스러운 칭찬입니다, 다니구치 씨."

예전에 다니구치가 했던 말이 도키와의 입에서 똑같이 흘러나왔다.

도키와는 이미 어엿하게 제 할 일을 해내고 있었다.

"도키와 씨가 있어서, 나는 이제 안심하고 이 일을 맡길 수 있습니다."

다니구치는 긴 시간 머물렀던 유백색 공간을 둘러보며 말을 이었다.

"여기, 작별의 건너편의 안내인 임무를……."

지난날 만났던 사람들의 모습이 바로 어제 일처럼 선명하게 머릿속에 떠올랐다.

참 많은 사람을 만났다.

그리고 여기서 헤어지고, 떠나보냈다.

여기서는 누구나 마지막 순간에 자신의 인생을 똑바로 마주하게 된다.

후회하는 사람도 있었다.

더 살고 싶어 하던 사람도 있었다.

삶에 지친 사람도 있었다.

좋은 인연을 많이 맺은 사람도 있었다.

세상에 무언가를 남기고자 인생을 걸었던 사람도 있었다.

소중한 것을 지키려는 사람도 있었다.

소중한 이를 위해 살았던 사람도 있었다.

그런 사람들과의 만남을 통해 다니구치는 답을 얻은 듯한 기분이 들었다.

"마지막 때가 되어서야 우리 각자의 사명이 무엇인지 조금은 알 것 같습니다."

그 답을 내내 찾고 있었다.

다니구치는 도키와의 눈을 똑바로 쳐다보았다.

그리고 그 답을 입에 올렸다.

"우리의 사명은 '이어가는 것'이 아닐까요?"

다니구치의 목소리가 작별의 건너편에 메아리처럼 울려 퍼졌다.

"이어가는 것……."

겨우 이 다섯 글자에 얼마나 많은 이들의 마음이 담겨 있는지는 알지 못한다.

다니구치는 설명을 덧붙이듯 천천히 입술을 움직였다.

"음, 여기서 만났던 사람들은 누구나 그랬어요. 사람과 사람, 마음과 마음, 과거와 미래. 사람은 그런 것을 이어가기 위해 존재한다는 생각이 들더군요. 근원적인 이야기를 하자면, 지금까지 우리는 누군가를 만나고 새 생명을 낳으며 서로 이어져 살아왔습니다. 그런데 생명뿐만 아니라 우리의 평범한 일상 속에도 이어지는 것들이 있다는 생각이 들었어요."

다니구치는 시선을 거두지 않고 말을 계속했다.

"이곳 작별의 건너편을 찾아온 사람들 중에도 주옥같은 말로 사람과 사람을 이어준 이들이 있었습니다. 정성을 담아 만든 작품이 사람의 마음을 이어준 적도 있습니다. 또 멀리 떨어져 있던 이들이 연결되면서 누군가의 생명을 구하기도 했고, 누군가는 사람은 아니지만 무엇과도 바꿀 수 없는 소중한 존재와 이어짐으로써 구원을 받았습니다. 신념에 따라 살아온 사람들이 이어온 과거가 현재와 미래로 이어지기도 합니다. 근사한 음악과 작품이 사람의 마음을 통하게 할 때도 있고요."

다니구치는 한차례 숨을 고르고 다시 말을 이었다.

"그렇다고 그런 거창한 경우에만 사명을 완수했다는 뜻은 아닙니다. 하루하루 살아가면서 자신에게 주어진 일에 최선을 다하고, 누군가를 미소 짓게 만들고, 누군가의 곁을 지켜주고, 그렇게 존재하기만 해도 사명을 다하는 경우도 있다고 생각합니다. 이를테면 스스로 무력하다고 느끼는 순간에도 누군가와 관계를 맺으며 살아 있다면, 사람과 사람을 이어가고 있다고 봐도 되지 않을까요? 그렇게 누군가와 연결되고 무언가를 남기고 누군가를 사랑하면서, 릴레이 경기에서 배턴을 넘겨주듯 먼 과거와 미래, 사람과 사람, 마음과 마음을 연결해 왔다고 믿습니다. 그러니 '이어가는 것'이야말로 사람에게 주어진 사명이라고 생각합니다. 그리고 그런 의미에서 지금 이 순간, 제게도 마지막 사명을 완수할 때가 찾아온 것 같군요."

"다니구치 씨……."

다니구치는 도키와와 두 눈을 맞추며 뒷말을 이었다.

"작별의 건너편의 안내인 임무를, 도키와 씨에게 넘깁니다."

그 순간, 도키와의 눈에서 눈물이 왈칵 쏟아졌다.

"안내인 임무를, 넘긴다……."

다니구치는 도키와를 바라보며 말을 계속했다.

"예. 이곳을 찾아오는 사람과 현세를 살아가는 사람을, 마음과 마음을 연결하는 안내인이 되어 주세요. 그리고 언젠가 다음 사람에게 배턴을 넘겨주세요."

"네……."

도키와는 목소리를 쥐어짜다시피 말했다.

"저는 분명히 넘겨줬습니다, 도키와 씨. 앞으로 잘 부탁합니다."

다니구치가 그렇게 말하며 평소처럼 온화한 미소를 내비치자 도키와의 눈에서 눈물이 걷잡을 수 없이 흘러내렸다.

"네, 알겠습니다, 다니구치 씨……. 그렇게 할 것을 약속합니다."

도키와는 감격에 겨워 눈물을 흘렸다. 다니구치가 없었다면 도키와는 절대로 이 자리에 있을 수 없었다. 최후의 순간에 해피 엔딩을 맞이하는 것도 불가능했다.

도키와의 눈물에는 감격과 석별의 의미가 반씩 섞여 있었다. 도키와는 다니구치와 헤어질 시간이 가까이 왔음을 알았다.

그리고 바로 그때, 작별의 건너편을 찾아온 이가 있었다.

"……시간이 얼마 안 남았네요, 다니구치 씨."

그 말을 하며 모습을 드러낸 이는 이곳의 또 다른 안내인, 사쿠마였다. 사쿠마의 후임인 기사라기도 옆에 있었다.

다니구치를 배웅하기 위해 찾아온 것이다.

두 사람의 등장은 다니구치를 떠나보낼 시간이 다 됐음을 의미했다.

다니구치도 다 이해한다는 듯이 사쿠마의 말을 받았다.

"……그러게요. 꽤 오랫동안 여기서 지냈는데, 드디어 시간이 된 것 같군요."

다니구치의 대답을 들은 사쿠마가 유창한 발음으로 노래 제목을 말했다.

"「Time To Say Goodbye」."

그 뜻을 덧붙인 사람은 다니구치였다.

"작별을 고해야 할 시간, 이군요."

다니구치는 유백색 공간을 올려다보았다. 그의 눈동자에 설핏 아쉬움이 묻어났다.

"저……."

그때 기사라기가 한 걸음 앞으로 나왔다.

"정말 고마웠습니다! 다니구치 씨와 사쿠마 씨가 없었다면 저와 도키와는 여기서 다시 만날 수 없었어요."

기사라기는 이 시간이 끝나기 전에 꼭 감사의 말을 전하고 싶었다. 그래서 억지를 부려 여기까지 따라왔다. 젊은 나이에 세상을 떠난 자신들을 다시 이어준 사람은 누가 뭐래도 다니구치와 사쿠마라고 생각했다.

"그렇게 말해주니 기쁘지만, 두 사람의 재회는 저와 사쿠마 씨의 힘만으로 이뤄진 게 아닙니다. 분명 지금까지 만났던 사람들의 마음이 조금씩 이어져 두 사람의 현재가 만들어졌을 겁니다."

다니구치는 부드럽게 웃으며 말을 이었다.

"도키와 씨와 함께 훌륭한 안내인이 되어 주세요. 저도 두 사람의 앞날을 기대하겠습니다."

"……네! 고맙습니다."

기사라기가 고개를 꾸뻑 숙이고 나자 사쿠마가 경쾌한 말투로 입을 열었다.

"다니구치 씨, 당신이 떠나면 쓸쓸해질 것 같아요. 뭐, 언젠가는 저도 당신과 같은 길을 걷게 되겠지만요."

"하하, 그렇죠. 한발 먼저 태어나서 기다리겠습니다. 그리고 사쿠마 씨. 저도 당신이 있어서 외롭지 않았어요. 이렇게 살풍경한 유백색 공간 어딘가에 누군가가 있다는 생각만으로도 구원받은 기분이었습니다. 어떤 순간에도 혼자가 아니라는 생각이 들었거든요."

"……마지막에 와서 왜 울리고 그러세요. 저는 웃으면서 당신을 떠나보내고 싶었다고요."

"사쿠마 씨……."

사쿠마는 가느다란 손가락을 눈가에 대고 말했다.

"당신이 이곳에 있어서 정말 좋았어요. 언젠가, 어디선가, 다시 만날 날을 기대할게요."

"예, 다음에는 둘 다 오래 살아서 100년쯤 후에 만납시다."

"그렇게 오래 기다리다가는 목이 빠지겠어요."

사쿠마의 말에 다니구치는 소리 내어 웃으며 대꾸했다.

"전 기다리는 건 싫지 않으니까요."

사쿠마는 후훗, 하고 웃으며 "다니구치 씨는 그런 분이죠"라고 말하고 나서 배턴 터치를 하듯 도키와의 어깨를 탁탁 두드렸다.

"다니구치 씨……."

도키와가 눈물을 닦으며 입속에서 겨우겨우 말을 밀어냈다.

"정말, 정말 고마웠습니다. 다니구치 씨와 만나서 다행이었어요. 저도 그렇고, 수많은 사람이 최후의 순간에 해피 엔딩을 맞이할 수 있었던 건, 여기서 다니구치 씨가 기다리고 있었기 때문이에요. 그러니까, 다니구치 씨에게 받은 배턴을 고이고이 간직했다가 다음 안내인에게 넘겨줄게요. ……꼭 그렇게 하겠습니다. 약속합니다."

"고맙습니다. 그렇게 말해주니 기쁘군요. 저도 도키와 씨를 만나서 정말 좋았습니다. 당신이 있었기에 이렇게 안내인 자리를 넘겨줄 수 있었어요. 이제 미련이 없습니다."

"다니구치 씨……."

다니구치는 결단을 내린 듯 도키와를 향해 강한 눈빛을 던졌다.

"최후의 문을 부탁합니다, 도키와 씨."

"……네!"

도키와는 허공에 손을 올렸다.

그런 다음, 축복의 종을 울리듯 손가락을 딱 튕겼다.

그러자 아무것도 없던 유백색 공간에 흰색 문이 떠올랐다.

작별의 건너편을 찾아온 사람이라면 누구나 마지막에 통과하는 문.

새로 태어나기 위한 최후의 문이다.

"……요코, 그만 가지."

"……그래요, 겐지 씨."

다니구치가 에스코트하듯 요코의 손을 잡았고, 두 사람이 함께 문 앞에 나란히 섰다.

다니구치는 아련한 눈빛으로 유백색 공간을 둘러보았다.

그러고는 아무에게도 들리지 않을 것 같은 목소리로 말했다.

"고맙다, 작별의 건너편."

그 말에는 40년 동안 여기서 지내며 느꼈던 온갖 감정이 담겨 있었다.

여러 가지 일을 겪었다.

수많은 사람을 만났다.

그리고 헤어졌다.

삶이 존재했다.

넘치는 추억이 이곳에 남아 있다.

소중한 가족을 만나러 갔던 사람이 있었다.
사랑하는 연인을 만나러 갔던 사람이 있었다.
그리운 옛 친구를 만나러 갔던 사람이 있었다.
문득 떠오른 지인을 만나러 갔던 사람이 있었다.

먼 곳으로 떠난 이를 만나러 갔던 사람이 있었다.
사람이 아닌 존재를 만나러 갔던 사람이 있었다.

노래를 남긴 사람이 있었다.
그림을 남긴 사람이 있었다.

웃는 사람이 있었다.
우는 사람이 있었다.

누군가의 소중한 이들이 여기에 있었다.

이곳은 작별의 건너편.
죽은 사람들이 마지막으로 찾아오는 곳이다.

다니구치는 최후의 문에 천천히 손을 올렸다.

그러더니 빛이 쏟아지는 곳으로 걸어 들어가기에 앞서 뒤를 돌아보며 미소를 머금고 말했다.

"여러분, 언젠가, 어디선가, 다시 만납시다. 고맙습니다. 그럼 안녕히."

최후의 문이 열리자 새하얀 빛이 다니구치와 요코를 감쌌다.

작 별 의 건 너 편 3

초판 1쇄 인쇄 2024년 4월 8일
초판 1쇄 발행 2024년 4월 15일

지은이 시미즈 하루키
옮긴이 김지연

편집인 이기웅
책임편집 이원지
편집 안희주, 주소림, 김혜영, 양수인, 한의진, 오윤나, 이현지
디자인 TOMCAT
책임마케팅 김서연, 김예진, 김지원, 박시온, 류지현, 김소희, 김찬빈, 배성원, 박상은, 이서윤, 최혜연
마케팅 유인철
경영지원 박혜정, 최성민, 박상박
제작 제이오

펴낸이 유귀선
펴낸곳 ㈜바이포엠 스튜디오
출판등록 제2020-000145호(2020년 6월 10일)
주소 서울시 강남구 테헤란로 332, 에이치제이타워 20층
이메일 odr@studioodr.com

ISBN 979-11-93358-80-1 04830

모모는 ㈜바이포엠 스튜디오의 출판브랜드입니다.